D0269462

Omslag & Binnenwerk: Buronazessen - concept & vormgeving

Drukwerk: Grafistar, Lichtenvoorde

ISBN 978-90-8660-145-5

Postbus 30227
6803 AE Arnhem
www.ellessy.nl

Jolande Vogel

De Molen

Een familiekroniek

deel 1: De Opkomst

Familieroman

Drie namen mogen niet onvermeld blijven:

Becky Wolderink,
mijn inspiratie voor de basis van het verhaal.

Fenny van der Vlag-Pak,
bewaakster van de geschiedenis van Valthermond.

Jan Ottens,
vertaler van het Nederlands in het veenkoloniaals.

1

Advocaat, rechter, minister?

'Graag tot ziens! Jullie zijn altijd van harte welkom', zegt Lex Presser, buigt zich galant over de hand van de dame en raakt die even met zijn lippen aan. Hij draagt een onberispelijk donkerblauw kostuum met zijden stropdas en pochet: op en top de charmante, goed geklede gastheer. De dame stapt naast haar man in de glanzende Mercedes die zojuist door de parking valet is voorgereden en knikt vriendelijk.
'Dank je voor de heerlijke avond, Lex', zegt ze en haar echtgenoot roept van achter het stuur: 'Ja Lex, het was weer voortreffelijk!' De valet kijkt Lex vragend aan. Of het portier dicht kan? Lex knikt en de jongen sluit het portier zachtjes. De auto draait bijna geluidloos de weg op. Het regent een beetje; zo'n miezerig regentje waar we hier in Nederland het patent op hebben.
Als ze het restaurant achter zich hebben gelaten en de bestuurder meer gas geeft, zegt de vrouw: 'Lex is wel een aardige man, maar een beetje... eh... hoe zal ik het zeggen: glibberig. Zo'n klein, glibberig mannetje, weet je wel. Zo'n glimlachend Joodje, sorry dat ik het zeg.'
'Ach, Lex is een typische horecaffer', zegt hij. ''n Beetje overbeleefd. Maar het is een slimme kerel en het eten is er in elk geval uitstekend. Alleen heb ik gemerkt dat de prijzen in het restaurant dit jaar wel erg snel zijn gestegen.'
'Tja,' antwoordt zijn vrouw, 'als je vertroeteld wilt worden, moet

je nu eenmaal betalen.'
Haar man gromt bij wijze van antwoord en geeft gas. Hij wil naar bed. Morgen weer een drukke dag.

*

Lex staat voor de ingang van hotel-restaurant Atlanta, dat in de chique Apollobuurt in Amsterdam-Zuid ligt, en kijkt de Mercedes na. Een beetje vertroetelen, dat stel, denkt hij. Je weet nooit wanneer je plotseling geld nodig hebt. Als je flink met zo'n miljonair aanpapt, krijg je vast wel meer gedaan dan bij een bank. Lex gelooft niet in banken. Wel in geld. En dat moet rollen, vindt hij. Vooral naar hem toe.
Het was een goed idee van hem geweest om tegen de oberkelner te fluisteren dat hij deze gasten discreet moest laten weten dat het digestief door de directie werd aangeboden. Al is hij in het algemeen geen voorstander van gratis drankjes aanbieden – en zeker geen dure cognac en zeldzame grappa – maar Lex weet onderhand wel iets van image building en public relations. Indruk maken, dat is heel belangrijk, dat onthouden de gasten. Zoals die parking valet, dat was een goed idee van hem. Kost een paar centen, maar bezorgt het Atlanta een chic imago. Hij weet heel goed hoe hij mensen moet inpakken.
Hij draait zich om en kijkt omhoog, naar het smaakvol verlichte hotel-restaurant. Er welt een diepe voldoening in hem op. Na al die jaren zwoegen, hier en daar schuiven, wat manipuleren, af en toe de waarheid een beetje geweld aandoen en zo nu en dan langs de uiterste randen van de wet balanceren, bestuurt hij nu

een hotel-restaurant van allure. Misschien heeft hij die wet ook wel eens een beetje overtreden, maar ach, als je dat goed doet, kraait er geen haan naar. Je moet nu eenmaal creatief zijn om te bereiken wat hij wil bereiken: de grootste horecatycoon van het land worden. Hij is nu, in 1956, een flink aantal treden op de carrièreladder gestegen.

Zijn gedachten gaan terug naar de onderste trede van die ladder. Eigenlijk naar het tijdstip dat er nog nauwelijks sprake van een ladder was: zijn vroege jeugd.

*

Lex Presser werd in november 1924 in Amsterdam geboren, als zoon van een Joodse textielhandelaar. Vader was nu niet direct een captain of industry, maar hij boerde niettemin uitstekend. Het gezin – Lex had nog een zuster, Deborah, die twee jaar ouder was dan hij – kwam niets te kort en ze woonden in een mooi huis in Zuid. Mevrouw Presser was een zachtaardige, maar nogal formele vrouw die het huishouden onopvallend, maar met vaste hand bestuurde. Ze was natuurlijk aan het beroep van haar man, maar ook aan haar eigen opvattingen over wat hoorde en wat niet, verplicht om altijd volgens de laatste mode gekleed te zijn. Meneer Presser was een harde werker die weinig tijd aan zijn gezin kon besteden. Toch verliepen de kinderjaren van Deborah en Lex ongestoord. Altijd vriendjes en vriendinnetjes om zich heen, volop speelgoed. Ze waren zelfs al eens in het buitenland geweest, toen Lex tien was. Ze mochten toen, uiteraard samen met hun moeder, mee op een van de zakenreizen die textielhandelaar Presser vrij regelmatig in zijn Ford naar Duitsland maakte. Dat was in die tijd nogal bijzonder. Er waren nog maar relatief weinig mensen die een auto bezaten en kinderen van hun leeftijd kwamen niet in het buitenland, laat staan dat ze in hotels logeerden.

Ofschoon zowel vader als moeder Joods waren en de kinderen dus ook, was daarvan in het dagelijks leven nauwelijks iets te merken. Vader vond dat zijn kinderen later minder kansen in de maatschappij zouden hebben als ze in het Joodse ons-kent-ons-circuit zouden blijven hangen. Hij stuurde Deborah en Lex dan ook met opzet naar openbare scholen. Daar zouden ze meer leren over de wereld om hen heen dan op een Joodse school, zo redeneerde hij.

Deborah was geen hoogvliegster op de lagere school, maar zij en haar ouders vonden het wel goed zo. Meisjes gingen in die tijd toch niet 'doorleren' en ze zou na school wel zo'n beetje thuis 'in de huishouding' komen, totdat ze tegen een leuke jongen zou aanlopen, trouwen en haar ouders kleinkinderen schenken. En ze was inmiddels wel onder de pannen. Na de lagere school was Deborah op aandringen van haar moeder toch maar een vervolgopleiding gaan doen, voor jongedames uit nette gezinnen. Dan wist ze in elk geval hoe ze een dienstbode opdrachten kon geven, hoe ze een draad in een naald moest steken en hoe ze randen om een tafelkleed moest borduren. Op die vaardigheden stelde mevrouw Presser zeer veel prijs.

*

Lex was daarentegen een eerzuchtig jongetje. Hij zou het ver

brengen, vond hij zelf. Verder dan zijn vader, want was nou een textielhandelaar helemaal? Nee, hij wilde later rechten gaan studeren. Advocaat zou hij worden, en later rechter, Kamerlid, minister. Hij wilde geen schlemielig Jodenjongetje zijn, dat straks zijn vader zou moeten opvolgen in diens textielbedrijf. Na de lagere school wilde hij naar het gymnasium, maar dat kostte hem heel wat moeite. Zijn vader had inderdaad in zijn hoofd dat Lex hem zou opvolgen. En daar had hij geen gymnasium voor nodig. De HBS was goed genoeg. Die opleiding was immers uitstekend voor als Lex bij hem in de zaak zou komen. Er was in 1928 ook een Joodse HBS aan de Herengracht gesticht, maar, zo redeneerde vader Presser, daar zaten bijna alleen kinderen met een orthodox-joodse achtergrond op. En hoewel hij er wel op gesteld was om zijn Joodse zakenrelaties niet voor het hoofd te stoten, schrok hij toch wel terug voor dat orthodoxe karakter. De Pressers waren op z'n zachtst gezegd meer van de liberale richting en het Joods Lyceum bestond in 1935 nog niet. Dus: een gewone HBS, zoals zijn kinderen ook op niet-Joodse lagere scholen hadden gezeten. En dan na zijn eindexamen bij hem in de zaak.
'Maar ik wíl niet in de textiel!' had zoonlief wanhopig geroepen. 'Ik wil advocaat worden. En minister!'
Zijn vader had gelachen. Minister? Lex moest het nou niet te hoog in zijn bol krijgen. En wat was er mis met de textielhandel?
'Daar is niks mis mee', had zijn toen elfjarige zoon koppig geantwoord. 'Maar ik wil iets anders.'
Vader Presser had het maar laten zitten. Zijn zoon was immers op een leeftijd dat kinderen gemakkelijk in hun beroepskeuze van politieagent via trambestuurder naar vliegenier en weer terug

vlinderen. Het zou wel loslopen, dacht hij.
Maar het liep niet los. Toen Lex in de hoogste klas van de lagere school nog steeds volhield dat hij rechten wilde gaan studeren en advocaat worden, begon Presser na te denken. Een zoon die advocaat was, het had toch wel iets. Het zou heel wat aanzien geven bij familie, vrienden, kennissen en buurtgenoten. In zijn omgeving had niemand gestudeerd. Het idee dat Lex de eerste zou zijn, begon steeds aantrekkelijker te worden. Financieel was er geen probleem, hij kon het gemakkelijk betalen. De jongen moest om te beginnen dan maar naar het gymnasium. Het hoofd van Lex' school, aan wie de vader zijn probleem voorlegde, had de onderwijzer van Lex erbij gehaald en die vond, na veel gewichtig getrek aan zijn sigaar, dat Lex best capaciteiten had.
'Het gymnasium is vast niet te hoog gegrepen voor hem', knikte ook de bovenmeester. Hijzelf had die kans vroeger nooit gehad, maar hij was een wijs man, die het beste voor zijn leerlingen wilde. Het werd dus het gymnasium.

*

In september 1937 beklimt Lex de trappen van het grote, deftige gebouw; weer geen Joods, maar een openbaar gymnasium. De jongen heeft tegen zijn schoolvriendjes enorm opgeschept over zijn aanstaande studie. Volgens hem was het maar een kwestie van een paar jaar of hij zou in toga voor de rechtbank staan en een briljante pleitrede houden (alleen wist hij nog niet wat een pleitrede eigenlijk was).
Toch voelt hij zich beklemd als hij het gymnasium voor het eerst

betreedt. Hij is danig onder de indruk van het kolossale gebouw met de gebeeldhouwde koppen van onbekende grootheden uit de klassieke oudheid aan de gevel, de hoge gangen, de plechtige sfeer, de ernstige leraren en vooral: al die onbekende kinderen om zich heen. Niemand van zijn vroegere vriendjes en klasgenoten is op deze school terecht gekomen. De kinderen die hier zitten, komen bijna uitsluitend uit deftige gezinnen. Ze praten anders dan hij en ze gedragen zich anders.

Een beetje verloren loopt Lex door het gebouw, op zoek naar zijn klas; hij moet dat jaar nog dertien worden en zijn omgeving overweldigt hem zo, dat de moed hem in de schoenen zinkt. Even overweegt hij rechtsomkeert te maken en naar zijn veilige wereldje terug te keren. Maar dan vermant hij zich. Hij heeft hiervoor gekozen en hij zal wel eens laten zien dat hij, de zoon van een kleine textielwinkelier, beter is dan al die gojse kakkers om hem heen. Want dan is Lex Presser even heel erg Joods.

Hij zal zich nooit helemaal thuis gaan voelen op het gymnasium. In de jaren die hij daar doorbrengt, blijft hij toch min of meer een buitenbeentje. Echte vrienden maakt hij niet, daarvoor is de afstand tussen hem en zijn medeleerlingen te groot. Die tolereren hem, maar negeren hem ook min of meer. In het begin is hij wel gepest, maar omdat hij onmiddellijk van zich af weet te bijten, laten de pestkoppen hem na een paar maanden met rust. Zo klein als hij is, zo fel is Lex. Hij slaat er meteen op los als ze hem te na komen en hij slaat hárd ook.

'Meneer Presser,' heeft meneer Van Apeldoorn, zijn leraar Latijn, tegen hem gezegd, 'ik begrijp dat u voor uzelf opkomt. Dat is ook in u te prijzen. Maar kan dat niet wat minder hardhandig?' Want

tot Lex' geluk is de leraar een geestig man met veel begrip voor de roerselen van de jonge zielen die aan hem zijn toevertrouwd. Lex moet er overigens nog steeds aan wennen dat op het gymnasium de leraren de leerlingen met 'u' aanspreken.
'Jawel meneer,' antwoordt hij 'maar dan helpt het niet.'
De leraar was in de lach geschoten en had hem op zijn schouder geklopt. 'Toch maar voorzichtig zijn. U loopt het gevaar dat u van school wordt verwijderd als u zich zo blijft gedragen.'
Dat had Lex in zijn oren geknoopt. Dat was nou net het laatste dat hij wilde, roemloos weggestuurd worden. Hij had beterschap beloofd en beperkte zich voortaan tot verbaal geweld als het per se nodig was. Maar zijn houding had inmiddels wel respect afgedwongen en de pestkoppen die leergeld hadden betaald in de vorm van een bloedneus of een kapotte lip begonnen al gauw met een boogje om hem heen te lopen.
Het maakt hem er niet veel populairder op bij zijn schoolgenoten. Hij is trouwens toch niet al te geliefd op het gymnasium, omdat zijn medeleerlingen hem als een eigenwijs strebertje beschouwen. En eigenlijk is hij dat ook. Hij heeft het idee dat hij beter is dan 'de anderen' en er dus recht op heeft het verder te schoppen dan de mensen om hem heen. Wat die mensen van hem denken, interesseert hem minder; kritiek op zijn houding en gedrag glijden van hem af. Behalve als er een levensgrote adder onder het gras zit. Zoals van school verwijderd worden.
Het lerarenkorps en rector Van Dorp hebben dat asociale trekje van hem natuurlijk wel in de gaten, maar zij kijken daar anders tegenaan dan de leerlingen. Voor hen is de ijverige leerling Presser een sieraad voor de school. Want ijverig is Lex wel degelijk.

Hoewel het hem niet komt aanwaaien, haalt hij meer dan gemiddelde resultaten, doordat hij zo zijn best doet. Hij staat 's ochtends om vijf uur op om de zaken voor die schooldag door te nemen of nóg maar eens een keer de stof voor dat proefwerk Grieks uit zijn hoofd te leren, want dat vak kost hem de meeste moeite. Als hij thuiskomt uit school, gaat hij direct naar zijn kamer en stort zich op zijn huiswerk, komt alleen beneden om te eten en vertrekt dan weer naar boven, om tegen negenen naar bed te gaan.
Naarmate het eerste schooljaar zich verder ontrolt, wordt de verhouding met zijn medeleerlingen wat beter. De eerste tumultueuze maanden zijn voorbij en Lex heeft met veel moeite een plaats voor zichzelf veroverd. Hij wordt gaandeweg steeds meer geaccepteerd, ook door degenen die hem vroeger pestten.

*

'Word je eigenlijk bevorderd?' informeert zijn vader. Het loopt tegen het einde van Lex' eerste schooljaar op het gymnasium en inwendig kookt de jongen. Daar komt zijn vader nú mee! Het hele jaar door heeft hij nauwelijks belangstelling getoond, behalve dan zo nu en dan een vraagje 'Gaat het goed op school?', zonder echt naar het antwoord te luisteren. Dat heeft hij uitgeprobeerd: toen zijn vader 's avonds met zijn sigaar in zijn leunstoel de krant zat te lezen. Lex had zijn huiswerk gemaakt en kwam de kamer binnen. Presser keek hem verstrooid aan en stelde werktuigelijk de stereotiepe vraag: 'Gaat het goed op school?'
'Nee,' had zijn zoon op vlakke toon geantwoord, 'het gaat verschrikkelijk slecht en ik denk dat ik er af moet.'

'Mooi zo', mompelde zijn vader en verdiepte zich weer in het wereldnieuws. Lex was de kamer uit gelopen en had de deur nogal hard achter zich dicht geslagen, maar zijn vader had er niets van gezegd.
Een intensief gezinsleven is in het gezin Presser niet te bespeuren. Vader is altijd druk met zijn werk, komt laat en moe thuis en moet 's morgens weer vroeg uit de veren. Moeder weet zich vrij onzichtbaar te houden en zwaait vanuit haar mevrouwenpositie de scepter over het huishouden en dagmeisje Aaltje, die driemaal in de week komt. Deborah is een stil meisje dat het liefst in haar eentje op haar kamer zit te lezen. In dit huis leeft iedereen eigenlijk zijn of haar eigen leventje.
En nu, bedenkt Lex wrevelig, nu, tegen het einde van het schooljaar, als de beslissing over het al of niet worden bevorderd in feite al is gevallen, komt zijn vader er nog even naar informeren!
Maar hij heeft geen zin om weer een recalcitrant antwoord te geven en zegt: 'Ja, ik verwacht van wel.'
'Nou, dat is plezierig!' zegt zijn vader voor de verandering en legt waarachtig even zijn krant opzij.
'Goede cijfers?'
Lex haalt zijn schouders op. 'Ik denk het wel. Grieks is wat minder, maar wel voldoende.'
'Wat hebben die kinderen er dan ook aan om Grieks te leren!' bromt Presser. 'Latijn snap ik, daar kun je je voordeel mee doen als je rechten wilt studeren, maar Grieks?'
Eerlijk gezegd moet Lex zijn vader gelijk geven. Ook hij heeft het nut van Grieks nooit zo ingezien, maar de leraar in dat vak vindt natuurlijk dat Grieks bij de opvoeding van ieder kind hoort.

Hij haalt opnieuw zijn schouders op: 'Het zit nou eenmaal in het lesrooster.'
Maar zijn vader heeft zijn belangstelling al weer verloren en pakt zijn krant weer op.
Nu vindt moeder, die aan tafel over een borduurraam gebogen zit, het tijd worden om ook belangstelling te tonen. 'Doe je wel goed je best op dat Grieks?'
Plotseling krijgt Lex de pest in. Het interesseert zijn ouders kennelijk nauwelijks wat er op het gymnasium gebeurt en wat hij daar allemaal doet en presteert. Kwaad staat hij op uit de stoel waarin hij had gehoopt op een gesprek over hem, over zijn school, over zijn plannen.
'Hartelijk bedankt voor de belangstelling!' snauwt hij en beent de kamer uit. Ook nu krijgt de deur het weer te verduren.
Zijn moeder kijkt hem niet begrijpend na. 'Wat die jongen de laatste tijd toch heeft!' zucht ze. 'Hij is zó lichtgeraakt.'
'Ach, het zal de leeftijd wel wezen', veronderstelt haar echtgenoot. 'Toen ik zo oud was als hij, was ik ook snel beledigd, dat hoort er nu eenmaal bij.'
'Ja, maar ik vind het eigenlijk niet passen', klaagt ze. 'Zo reageer je toch niet in een nette familie!'
'Mmmm', bromt haar man, die de beursberichten bestudeert.
Mevrouw Presser zucht en buigt zich weer over haar borduurraam.

*

Natuurlijk wordt Lex bevorderd, en met heel mooie cijfers ook

nog. Zelfs voor zijn Grieks krijgt hij een ruim voldoende beoordeling, beter dan hij had gehoopt. De statige rector, die de resultaten van het afgelopen schooljaar bekend maakt, heeft een apart woordje voor hem: 'De heer Presser heeft, ondanks een wat moeizaam begin – hier veroorlooft Van Dorp zich zelfs een als guitig bedoeld glimlachje – getoond dat hij dit gymnasium zeker waardig is.'
Zo, die kan ik in mijn zak steken, denkt Lex en neemt eerbiedig zijn cijferlijst aan.
'Hé, Presser,' sist een van zijn vroegere kwelgeesten hem toe, 'heb je de baas z'n achterwerk gelikt?'
Vroeger zou Lex de jongen aangevlogen zijn, maar op zoiets laat hij zich tegenwoordig niet meer pakken. Hij kijkt de knaap vernietigend aan en antwoordt kalm: 'Je zou willen dat je mijn cijfers had, man!' De ander zwijgt. Hij is maar net met de hakken over de sloot bevorderd.
Thuis is men tevreden over Lex' vorderingen. 'Goed gedaan', bromt vader, trekt zijn portefeuille en overhandigt Lex een biljet van tien gulden. 'Het is wel wat veel, maar dat mag dan wel eens voor een keer. Maar maak het niet allemaal in één keer op.'
Hij bekijkt de cijferlijst nog eens. 'Niet slecht, helemaal niet slecht', oordeelt hij. 'Wat krijgen jullie ontzettend veel vakken!'
'En zul je voortaan ook een beetje beleefder worden, Alexander?' zegt zijn moeder. 'Je wordt nu al zo'n grote vent.'
Lex heeft er een hekel aan als hij met zijn volledige voornaam wordt aangesproken. En bovendien heeft hij er nog een grotere hekel aan als zijn moeder zo tegen hem praat. Hij wíl helemaal geen grote vent zijn. Hij is Lex en is zojuist bevorderd naar de

tweede klasse van het gymnasium en hij wordt later minister! Maar hij houdt zich in en bromt iets onbestemds. En die tien gulden zal hij zeker niet in één keer opmaken. Die gaan in zijn spaarpot. Voor later. Nu strekt zich allereerst een lange vakantie voor hem uit en hij neemt zich voor allerlei nuttige en prettige dingen te gaan doen. Hij kon wel eens naar een verjaardagspartijtje gaan. Tot nu toe heeft hij de uitnodigingen daartoe afgeslagen. Geen tijd. Hij moest studeren. Maar nu heeft hij de tijd wel. Hij moet maar eens gaan kijken of hij met een leuk meisje in contact kan komen. Op het gymnasium zitten nauwelijks meisjes en degenen die er wel zijn vindt hij over het algemeen nogal ingebeelde nuffen. Maar nieuwsgierig is Lex wel degelijk. Ook al is hij pas dertien en hoort op die leeftijd de omgang van jongens en meisjes – als daar al sprake van is – nog heel stiekem te gebeuren, hij heeft een gezonde belangstelling voor het zwakke geslacht opgevat. Spannende wezens, die meisjes, vindt hij.

*

De uitnodiging komt al vrij snel: Smit, de jongen die dit schooljaar naast Lex in de bank heeft gezeten, is in augustus jarig en wil Lex ook wel op zijn partijtje hebben. De jongens hebben altijd redelijk met elkaar kunnen opschieten en Smit heeft hem ook nooit gepest. Misschien wel omdat hij zelf ook niet uit zo'n heel deftig gezin komt. Meneer Smit heeft een nette kledingzaak, op loopafstand van het huis van de Pressers, en doet af en toe wel eens zaken met Lex' vader. Hij weet dat Lex in dezelfde klas als zijn zoon heeft gezeten en heeft hem aangespoord de jongen uit

te nodigen.
'Moet dat nou, pa?' had Hans Smit gezegd en zijn vader had zijn schouders opgehaald.
'Er móet niks. Maar je hebt toch al zo weinig vrindjes en de jongen komt uit een goed nest.'
Het nest waaruit Lex komt, kan Hans eerlijk gezegd niet veel schelen, maar hij herinnert zich dat Lex altijd nogal op zichzelf is en eigenlijk heeft hij wel een beetje medelijden met hem. Maar hij heeft ook met bewondering staan toekijken hoe Lex zijn kwelgeesten onderhanden nam en hij besluit om de raad van zijn vader op te volgen.
'Ik moet een cadeautje voor Smit hebben', zegt Lex somber tegen zijn moeder. 'Wat moet ik nou geven? Snoep?' Zijn ervaring met verjaarspartijtjes is minimaal.
'Waarom geen mooi boek?' oppert zijn moeder.
'Zo saai!'
Deborah komt met het idee van een grote chocoladereep. Niet gek, vindt Lex. Smit houdt van chocola, weet hij. Zijn moeder sputtert natuurlijk eerst nog wat tegen, maar gaat dan zuchtend akkoord.
Rond zeven uur maakt hij aanstalten om naar Smit te gaan. Hij draagt zijn zondagse pak, waarmee hij eigenlijk niet zo erg blij is, want het boord knelt en hij heeft steeds maar het idee dat zijn adamsappel wordt afgekneld als hij slikt. Als hij zijn stropdasje wat losser maakt, gaat het wel. Hans trekt de deur van de bovenwoning open en roept: 'Kom maar boven!'. Als Lex de trap heeft beklommen, neemt Hans blij zijn reep in ontvangst.
'Goed van je, Presser!' zegt hij enthousiast en gaat hem voor,

de huiskamer binnen. Het is niet erg druk. Mevrouw Smit is er, twee andere jongens van school, Smits oudere zus Anneke en haar vriendin, die zich voorstelt als Betty de Rijk. Lex geeft haar een hand en is op slag verliefd.
Van het partijtje herinnert hij zich achteraf niet veel. Dat ze ranja kregen en taartjes, dat ze mens-erger-je-niet hebben gespeeld en dat hij maar steeds naar Betty moest kijken. Haar helblauwe ogen, die zo goed bij haar donkere haar passen. Het kuiltje in haar linkerwang als ze lacht en haar stem, die een beetje hees is. Ze is ouder dan hij, hoort hij van Hans, wel drie jaar. Ze lijkt ook wel volwassen, vindt Lex bewonderend. Ze praten tijdens het mens-erger-je-niet natuurlijk wel met elkaar, maar hij moet af en toe naar woorden zoeken als hij antwoord op een opmerking van haar geeft en haar daarbij aankijkt. Hij is kwaad op zichzelf. Nóóit zit hij immers om woorden verlegen.
'Ben je soms verkikkerd op haar?' vraagt Hans later op de avond fluisterend bij de deur, als Lex afscheid neemt.
Hij geeft een minachtende ruk met z'n hoofd. 'Bêjje gek, man! Ik moet geen meiden!'
'Nou, 't zou best kunnen', verdedigt Hans zich. 'Het is een mieterse griet. Ze heeft alleen al een soort verloofde, zegt m'n zuster. Maar dat mag natuurlijk niemand weten.'
'Nou, ik vind het best, ze doet maar', zegt Lex achteloos. 'Zeg, tabee hoor, Smit, en bedankt!'

*

Als hij naar huis loopt, moet Lex wel steeds aan Betty denken.

‘Ze heeft al een soort verloofde’, echoot het in zijn hoofd. Ja, natúúrlijk heeft zo’n meisje al iemand. Dat had hij zelf ook wel kunnen bedenken.
Het is een zwoele zomeravond. De bomen steken met hun volle kruinen donker af tegen de nachtlucht. Lex kijkt omhoog, naar de sterren die bijna het licht van de straatlantaarns doen verbleken. Het is alsof de hemel een zachte deken is, waarin gaatjes zijn geprikt waar doorheen het sterrenlicht flonkert.
‘Ik ken ook helemaal geen andere meisjes’, peinst hij. ‘’t Is niet zo gek dat ik verliefd word op de eerste de beste!’ En hij besluit Betty de Rijk uit zijn hoofd te zetten. Maar hij zet zijn passen onwillekeurig wel op de maat van haar naam: Bet-ty, Bet-ty, Bet-ty. En als hij thuis in zijn bed ligt, duurt het lang voordat hij in slaap valt. Dat hij Betty de Rijk jaren later weer zal ontmoeten, een ontmoeting die verstrekkende gevolgen zal hebben, kan Lex dan natuurlijk nog niet vermoeden.

2

Donkere wolken boven Europa

Zijn tweede schooljaar op het gymnasium is begonnen. Het is inmiddels oktober 1938 en over een maand zal Lex zijn veertiende verjaardag vieren. Hij heeft de baard in zijn keel, wat zijn stem af en toe raar doet overslaan. Dat probeert hij te verbergen door zo laag mogelijk te praten, maar dat vindt iedereen maar vreemd. En sinds zijn vader hem heeft uitgelegd dat er niets mis is met de baard in je keel en dat hij die zelf als jongen ook heeft gehad, trekt hij zich minder van die rare stem aan. Wel ergert hij zich eraan dat hij niet zo hard groeit als andere jongens in zijn klas. Smit, met wie hij zo langzamerhand vriendschap heeft gesloten, steekt bijna een kop boven hem uit, terwijl hij maar een half jaar ouder is dan Lex. Die is nog steeds het stevige kleine ventje, dat hij altijd is geweest; alleen is hij nu natuurlijk wel wat langer geworden.

Die vriendschap met Smit is eigenlijk ongemerkt gegroeid. Op dat verjaardagsfeestje heeft Lex al gemerkt dat ze bij Smit thuis heel gewoon tegen hem deden. Maar ja, het waren ook helemaal niet van die chique mensen, bedacht hij. Smits vader had ook maar gewoon een winkel. Het waren natuurlijk christenen, maar niemand liet blijken dat ze op Joden neerkeken of zo. Lex voelt zich op zijn gemak in het ruime bovenhuis boven de winkel in kleding en fournituren van meneer Smit. Eigenlijk is het daar ongeveer zoals thuis: de vader werkt de hele dag, Hans Smit is van dezelfde leeftijd als hij en gaat naar dezelfde school, zijn zuster Anneke is ook twee jaar ouder, net als Deborah, en mevrouw Smit doet het huishouden. Net als bij hun thuis dus, alleen: het is er veel gezelliger. Mevrouw Smit bemoeit zich veel met haar kinderen, is vrolijk, heeft altijd tijd voor ze. En als meneer Smit thuis is – wat Lex zelden meemaakt – stoeit hij vaak met zijn zoon en dochter. Hij heeft af en toe kleine cadeautjes voor zijn vrouw en kinderen. Er is een soort... Lex weet niet precies hoe hij de sfeer daar onder woorden moet brengen. Vertrouwen? Intimiteit? Liefde misschien? Dan gaat het er bij hem thuis heel wat formeler aan toe. Eigenlijk is zijn moeder wel een correcte, maar absoluut geen spontane vrouw. Deborah zit het liefst te lezen of te handwerken op haar kamer en als ze met de andere gezinsleden samen is, zegt ze nauwelijks iets. Lex' vader wordt zó door zijn werk en het verdienen van steeds meer geld opgeslokt dat zijn gezin niet veel aan hem heeft.

*

En nu is er een mogelijk probleem bij gekomen: Presser kijkt met groeiende bezorgdheid naar buurland Duitsland. Dat doet hij al sinds eind januari 1933, toen Adolf Hitler tot rijkskanselier van Duitsland werd benoemd. Na zijn benoeming nam het aantal zetels van zijn partij, de NSDAP (Nationaalsocialistische Duitse Arbeiderspartij, al spoedig werden de aanhangers daarvan Nazi's genoemd) in het parlement snel toe, evenals Hitlers macht. Door een fusie met twee andere partijen kreeg hij tenslotte de bevoegdheid om vier jaar lang buiten het parlement om te regeren en zo begon het Derde Rijk. De Nazi's toonden hun ware gezicht: alle Joden moesten uit het openbare leven worden verwijderd. Presser kreeg steeds meer alarmerende signalen van zijn zakenrelaties in Duitsland. Al een paar maanden na Hitlers machtsgreep verschenen er in de Duitse steden borden met 'Joden niet welkom' en 'Koop niet bij Joden'. De Nazi's vaardigden wetten uit die het leven van de 600.000 Joden in Duitsland steeds moeilijker maakten. Hitler wilde Duitsland volledig 'ontjoden'.

Pressers bezorgdheid slaat langzamerhand om in angst. Er is geen denken meer aan dat hij nog zakenreizen naar Duitsland kan ondernemen. Veel van zijn relaties zijn verdwenen en hij ziet zijn handel geleidelijk teruglopen, hoewel hij zijn arbeidsterrein voor een groot deel heeft verlegd naar eigen land, België en Zwitserland. Wat moet hij doen? Hij bespreekt het met zijn gezin, maar zijn vrouw maakt zich niet zo druk. Duitsland is dan wel hun buurland, maar wat daar gebeurt, kan in Nederland natuurlijk niet gebeuren, dat weet ze zeker. Deborah vindt zoals altijd dat haar moeder gelijk heeft.

*

Dan komt de nacht van 9 op 10 november 1938. De Kristallnacht, zoals die later zal worden genoemd, naar de hoeveelheid glasscherven die erna in de straten blijft liggen. In heel Duitsland worden Joodse huizen, scholen, synagogen, winkels en bedrijven, ziekenhuizen en begraafplaatsen in brand gestoken of op een andere manier verwoest. De brandweer wordt bevolen de branden niet te blussen en het geüniformeerde tuig dat de vernielingen aanricht, wordt geen strobreed in de weg gelegd. Brokstukken van de verschrikkingen sijpelen via onofficiële kanalen naar buiten. Presser krijgt waarschuwingen van zijn Duitse relaties: verdwijn uit Nederland, vertrek naar een veiliger land! De helft van de ongeveer 500.000 Duitse Joden vlucht of emigreert. Ook naar Nederland, waar ze met verontrustende verhalen arriveren.

In 1938 heeft het Duitse Rijk Oostenrijk geannexeerd. En ondanks alle beloften en afspraken geeft Hitler op 1 september 1939 het bevel Polen binnen te vallen. Dat kunnen Engeland en Frankrijk niet over hun kant laten gaan. Twee dagen na de inval van het Duitse leger in Polen verklaren de twee landen Duitsland de oorlog. Het is het begin van de Tweede Wereldoorlog.

Lex is met heel andere zaken bezig: zijn school. Dat Grieks valt eigenlijk toch wel mee, merkt hij. Naarmate hij zich er doorheen worstelt en er steeds intensiever mee te maken heeft, krijgt hij ook meer begrip voor de structuur van de taal en begrijpt hij beter hoe zijn lesstof in elkaar zit. Zijn hobby zal het nooit worden, maar hij heeft er steeds meer plezier in, waarbij zijn onmiskenbare talenknobbel hem trouw terzijde staat. Dat plezier geldt trouwens ook voor de andere vakken: hij studeert met genoegen en haalt goede cijfers. Mevrouw Krouwel, zijn lerares Frans, geeft hem een proefwerk terug. 'C'est excellent, monsieur Pressèr,' zegt ze, 'très bien!' Lex kijkt er raar van op. Die steile, grijze dame, die nooit uit de plooi komt – op school fluisteren ze dat Krouwel een bezemsteel heeft ingeslikt – prijst hem daar waarachtig bijna de hemel in. Zijn medeleerlingen meesmuilen: die Presser weer, met z'n hoge cijfers. Nou ook al het lievelingetje van Krouwel. Toch zijn de meesten niet helemaal vrij van jaloezie...

Tijdens een terloops gesprekje met meneer Van Apeldoorn, de leraar die Lex wel mag en een beetje een oogje op hem houdt, krijgt hij de vraag wat hij eigenlijk wil worden. Lex durft geen 'rechter' te zeggen, laat staan 'minister', maar vertelt wel dat hij graag advocaat wil zijn. Van Apeldoorn knikt bedachtzaam en strijkt langs zijn grijze sikje. 'Een mooi beroep', zegt hij. 'Denkt u dat u het aan kunt?'
Verbaasd kijkt Lex hem aan. Waarom zou hij het beroep van advocaat niet aan kunnen? 'Is het dan zo'n zwaar vak?' vraagt hij.
Van Apeldoorn lacht. 'Een beroep dat je met hart en ziel wilt doen, is bijna altijd zwaar.' Hij knikt Lex toe en loopt naar de lerarenkamer.
Lex moet veel aan dat korte gesprekje met zijn docent Latijn denken. Natuurlijk wil hij zijn hele hart en ziel in zijn toekomstige beroep leggen, dat spreekt immers vanzelf?
Aan wat er verder in de wereld gebeurt, heeft hij nauwelijks een boodschap. De angst van zijn vader wuift hij weg, net als zijn moeder en zuster dat doen. Het zal zo'n vaart niet lopen, vindt hij.

*

In Nederland gaat het leven ogenschijnlijk zijn gangetje. De gemiddelde burger maakt zich niet zo veel zorgen. Ja, die Hitler gaat natuurlijk wel érg ver om onaangekondigd een buurland binnen te vallen, maar deze oorlog zal wel weer overwaaien. In Nederland zit je veilig en rustig. Waren we tijdens de Grote Oorlog van 1914-1918 immers ook niet neutraal gebleven?
Maar er zijn ook veel burgers die zich ernstig zorgen maken.

Waaronder heel wat Joden, die hebben vernomen hoe Hitler-Duitsland 'zijn' Joden heeft behandeld en nóg behandelt. Zij zien de bui al hangen: de Duitsers hoeven maar één stap over hun westelijke grens te zetten en meteen dreigen dezelfde vervolgingen en beperkingen van de Joden als bij de oosterburen.
Ook meneer Presser wordt steeds onzekerder. Hij hoort en leest hoe de Joden door de nazi's worden behandeld en hij realiseert zich, zoals vele anderen, dat de oosterburen letterlijk maar een klein stapje verwijderd zijn van Nederland. Hij denkt na over maatregelen, over vluchten. Hij maakt halve plannen, die hem zijn nachtrust ontnemen en hem op zijn kantoor blijven plagen. Op zijn kleine kantoor bij Presser Textiel heeft hij lange gesprekken met Van den Assem, zijn rechterhand. Thuis zegt hij niet veel, zit urenlang over de krant gebogen en luistert veel naar de radio; hij volgt alle nieuwsbulletins op de voet en correspondeert veel met Duitsland, hoewel hij steeds vaker geen antwoord krijgt of zijn brieven onbestelbaar retour gezonden ziet.
Het gaat allemaal een beetje aan Lex voorbij. Hij heeft zijn handen vol aan zijn school en hij betrapt er zich vaak op dat hij het gymnasium steeds leuker begint te vinden en dat hij er met steeds meer plezier naar toe gaat. Het is geen heilig moeten meer, het is niet meer zo krampachtig blokken, want het gaat hem allemaal steeds gemakkelijker af. Hij bemoeit zich als vanzelf ook meer met zijn medeleerlingen. Zelfs zit hij na schooltijd wel eens met een groepje medegymnasiasten in een melksalon en amuseert zich best. Hij kijkt ook vaker naar de meisjes, maar durft toch niet naar een aardig kind toe te stappen en een gesprek met haar aan te knopen. Het blijft nog allemaal op een afstand. Betty de

Rijk heeft hij nog wel een keer ontmoet, bij Smit thuis. Opnieuw is hij geboeid geraakt door haar donkere haar en blauwe ogen, het kuiltje in haar wang en haar lage, wat hese stem. Over haar 'verloofde' hoort hij niets. Hij durft er Hans Smit eerlijk gezegd ook niet naar te vragen, bang dat die hem van verliefdheid zal betichten. Want daar schaamt hij zich voor. Hij beweert dat hij er hij nog niet aan denkt. Verliefd zijn, achter de meisjes aan, daar heeft hij voorlopig geen tijd voor. Dat komt in de toekomst wel, zegt hij stoer.
Die toekomst komt steeds dichterbij. Het is nu eind 1939. Straks, in september 1940, zal hij naar de vierde klas gaan. Dan nog twee schooljaren en hij kan rechten gaan studeren. Lex ziet zijn toekomst steeds duidelijker voor zich. Naar Leiden wil hij, want die universiteit heeft de beste naam op het gebied van de rechtenstudie. En als hij eenmaal zijn meestertitel zal hebben behaald, ligt de wereld voor hem open.

*

Dan wordt het 10 mei 1940. Om vier uur 's ochtends vallen de Duitse legers Nederland binnen. Zes pantsertreinen overschrijden de Duits-Nederlandse grens. Tegelijkertijd vliegen grote eskaders van de Luftwaffe over ons land. Het betekent voor Nederland het begin van de Tweede Wereldoorlog. Het is een prachtige, zonnige dag. Een dag die een voorbode lijkt te zijn van een al even prachtige zomer.
Voordat die inval een feit is, heeft Duitsland al heel wat in Nederland gespioneerd, waardoor Duitse commandanten kunnen

beschikken over gedetailleerde kaarten van verdedigingswerken, mijnenvelden, commandoposten en in Den Haag zelfs van de locaties van het Koninklijk Huis. Duitse officieren hebben al in februari 1940 incognito Nederland bezocht om de verdedigingslinie Grebbeberg te verkennen, waartoe ze dankbaar gebruik maken van de uitkijktoren in Ouwehands Dierenpark. Deze feiten, en geruchten over het smokkelen van Nederlandse militaire uniformen naar Duitsland zijn bij de regering wel bekend, maar maken nauwelijks indruk. Zo dénkt men er niet over die uitkijktoren te sluiten; de economische belangen van de attractie in het dierenpark wegen zwaarder. Ook berichten over Duitse troepen die zich aan de Nederlandse grens ophouden, worden door minister-president De Geer genegeerd. Er is immers al in geen honderd jaar meer oorlog in Nederland geweest en bij de vorige Grote Oorlog zijn wij toch ook neutraal gebleven?
Maar op 10 mei is het wel degelijk oorlog geworden en in Nederland wordt hevig gevochten. Op 12 mei vertrekken prinses Juliana, prins Bernhard en de prinsessen Beatrix en Irene met een Engels marineschip vanuit IJmuiden naar Engeland. De volgende dag vertrekken ook koningin Wilhelmina en de Nederlandse regering. Generaal Winkelman krijgt het regeringsgezag.
'De lafbekken!' briest meneer Presser. 'En we dachten dat alles voorspoedig verliep, lees de krant er op na! Ze verlaten het zinkende schip, wie had dat nou ooit van onze koningin gedacht?'
Nog op diezelfde twaalfde mei roemen de kranten alom de vastberaden en hardnekkige Nederlandse verdediging, hoewel die op dat moment al vrijwel door de Duitse overmacht is uiteengeslagen. Op de radio hoor je en in de kranten lees je echter alleen

nog maar positieve berichten: de Duitsers lijden flinke verliezen en worden bij bosjes krijgsgevangen gemaakt, het Nederlandse leger houdt dapper stand bij de verschillende verdedigingslinies. Geen wonder dat de Nederlanders geschokt en met ongeloof op het nieuws van het uitwijken naar Engeland door de koninklijke familie en het kabinet reageren.
'Van die De Geer had ik niets anders verwacht, de lapzwans. Maar onze Willemientje! Die hoort toch op haar post te blijven!' zegt Presser hoofdschuddend.

*

Lex hoort het zwijgend aan. Gisteren, 11 mei, heeft rector Van Dorp alle leerlingen en leraren in de aula van het gymnasium bij elkaar geroepen. Hoewel het nieuws nog steeds karig wordt verstrekt, is er niet meer aan te twijfelen dat Duitsland Nederland is binnengevallen en dat het oorlog is. Maar Van Dorp spreekt sussende woorden. De vijandelijkheden zullen niet lang duren, zo meent hij. De Duitse overmacht is te groot en hun moderne bewapening is veruit superieur aan die van de Nederlanders (die bezitten op het moment van de inval precies één tank; het Duitse leger kan over meer dan 750 tanks beschikken!). Het zal dus snel afgelopen zijn. De koningin en haar regering zullen pal blijven onder de komende bezetting van de vijand, denkt Van Dorp op dat moment nog. Rustig blijven is nu voor iedereen het devies. Op het gymnasium houdt men zich daar in elk geval aan. De lessen worden gewoon voortgezet en iedereen moet kalm blijven, er moet vooral geen ongegronde paniek ontstaan. En daarmee sluit

hij de bijeenkomst.
Ja, het is inderdaad snel afgelopen: op 14 mei bombarderen de Duitsers Rotterdam. Nederland ziet geen uitweg meer en generaal Winkelman capituleert. De oorlog is verloren en de Duitse bezetting begint.
Hoewel Lex ook wel kalm blijft, heeft hij toch een raar gevoel in zijn maag. Nederland in oorlog? Nederland bezet? Wat is er met zijn veilige vaderland gebeurd? En wat gebeurt er allemaal bij hem thuis? Zijn vader is veel weg, komt laat thuis en fluistert veel met zijn moeder. Deborah zit vaak op haar kamer te huilen. De algehele opwinding steekt Lex ook aan. Wat doet zijn vader allemaal? Die weert hem af.
'Ik probeer er het beste van te maken.' Meer wil hij niet zeggen. Maar hij is duidelijk iets van plan.

*

Is dat nou bezetting door een vijand? Natuurlijk, er zijn erg veel Duitsers in uniform op straat. Maar na de eerste schok komt er rust. De militairen gedragen zich voorbeeldig. Ze wachten bijvoorbeeld netjes op hun beurt als ze inkopen aan het doen zijn en hoewel in de eerste dagen het wantrouwen groot is en de winkeliers de bezetters met een scheef oog aankijken en een enkele durfal weigert een Duitse militair iets te verkopen, zijn dat grote uitzonderingen. Men accepteert in het algemeen dat er plotseling vijandelijke militairen in de Nederlandse straten lopen, in de Nederlandse cafés een biertje drinken, in Scheveningen over de boulevard flaneren en 's avonds tussen de Nederlanders in de bioscoop zitten. Dat er in diezelfde bioscoop alleen nog maar Duitse propagandafilms te zien zijn, neemt men op de koop toe. Nederland wordt bezet gehouden door troepen van de Duitse Wehrmacht onder bevel van luchtmachtgeneraal Christiansen. Behalve die militairen komt ook de Ordnungspolizei op het toneel, vanwege de groene uniformen ook wel Grüne Polizei genoemd. Bovendien arriveert er binnen korte tijd ook nog andere geheime politie: Gestapo en SD (Geheime Staatspolizei en Sicherheitsdienst). Er komt een burgerlijk bestuur dat uit fanatieke nazi's bestaat. De Oostenrijker Arthur Seyss-Inquart staat als zogenoemde rijkscommissaris, het knechtje van Hitler, aan de top van dat bestuur. Hij brengt de boodschap dat de Nederlanders als Germaans broedervolk zullen worden behandeld.

Men merkt allemaal niet zo veel van de bezetting. Veel Nederlanders hebben in de lente en de zomer van 1940 het gevoel dat het allemaal wel meevalt en proberen een zo gewoon mogelijk leven te leiden. Toch komen er regels voor scholen, kerken en verenigingen. Op de radio hoor je alleen programma's die door de bezetters zijn toegelaten en Duits wordt op school een belangrijk vak. De leraar die op het gymnasium dat vak geeft (en die merkwaardigerwijze Den Hollander heet), reageert daar op z'n minst genuanceerd op: 'Ik ben natuurlijk blij dat er zoveel aandacht voor mijn vak is. Maar ik geef les in het Duits van Goethe en niet dat van Hitler.' Dat kun je begin 1940 nog zeggen. Niet veel later zal een dergelijke uitspraak levensgevaarlijk worden.

*

Het is half juli 1940 en Lex heeft vakantie. Hij is met mooie cijfers naar de vierde klas van het gymnasium overgegaan, heeft zijn nieuwe schoolboeken al opgehaald en voelt zich beter dan ooit. Deze vakantie zal hij nou eens gaan wijden aan pleziertjes, waarvan er immers genoeg voorhanden zijn. Over een kleine maand is Hans Smit jarig en zijn vader heeft beloofd dat het feestje met een etentje bij het restaurant Heck's op het Rembrandtsplein mag worden gevierd. Mét een orkest en een zangeres erbij, want die zijn er altijd op zaterdagavond. Lex en zijn vriend voelen zich heel volwassen. Hans wordt zestien en Lex zal in november ook zijn zestiende verjaardag vieren. Hij is nu al begonnen te peinzen over wat voor een feest hij zal gaan geven. Tenslotte pakt Hans altijd flink uit met zijn verjaardag en dan kan hij, Lex, immers niet achterblijven?
Hij besluit om er maar eens met zijn moeder over te praten. Maar die weert hem af, is duidelijk zenuwachtig.
'Jongen, dat is pas in november! Wie weet hoe we er dan voor staan? Laten we eerst maar eens afwachten.'
Jawel, maar afwachten ligt niet in Lex' aard. Hij wil er nú over praten, nú beslissingen nemen. Zijn moeder wil er kennelijk niet over praten. Ze draait er omheen. Weet ze meer dan ze wil vertellen? Even nog overweegt hij naar zijn vader te gaan, maar dat plan laat hij al spoedig varen. Meneer Presser is de laatste tijd nauwelijks thuis en als hij thuis is, zit hij meestal in het zijkamertje, te rekenen of te schrijven, precies weten zijn huisgenoten het niet. Hij is ook al eens twee dagen weg geweest. Waarheen wilde hij niet zeggen, maar het was geen gewone zakenreis, zoveel is Lex wel duidelijk, want toen hij terugkwam is hij direct met zijn

vrouw in het zijkamertje gaan zitten. En hoewel Lex staat te popelen om met zijn vader over zijn verjaardagsfeest te overleggen, begrijpt hij wel dat hij daar nu niet mee aan hoeft te komen.
Hij zucht en vraagt zich af wat er toch aan de hand is. Waar is zijn vader mee bezig? Waarom praat hij achter gesloten deuren zoveel met zijn moeder? Ook Deborah is heel stilletjes en maakt zich duidelijk ongerust. Ongerust is Lex eigenlijk niet. Wel nieuwsgierig naar wat er gaat gebeuren.

*

Hij hoeft er niet lang op te wachten. Eind juli komt zijn vader vroeger thuis dan anders. Hij vraagt zijn vrouw, Deborah en Lex naar de huiskamer komen. Ze zitten met z'n vieren rond de eettafel en de stemming is gespannen. Ze voelen allemaal dat er iets ernstigs aan de hand moet zijn.
Vader schraapt zijn keel. 'Ik heb een mededeling', zegt hij dan. 'Een mededeling waarvan jullie misschien wel zullen schrikken, maar die ons uiteindelijk alleen maar voordeel zal opleveren.'
Hij zwijgt, weet klaarblijkelijk even niet hoe verder te gaan. Zijn vrouw knikt hem toe.
'Jullie weten allemaal hoe in Duitsland de Joden worden behandeld', vervolgt hij. 'Het leven wordt hen steeds moeilijker gemaakt. Sommigen zijn vermoord, velen zijn alles kwijt, hun handel, hun huis. Er zijn vele duizenden het land ontvlucht, ook naar Nederland. Hitler heeft een ontzettende hekel aan het Joodse volk en doet alles om hen het leven zo zuur mogelijk te maken.'
'Ja, maar dat is in Duitsland', werpt Lex tegen. 'Hier zijn de Duit-

sers toch correct en beleefd? Ook tegen ons?'
'Nog wel, ja. Maar hoe lang zal dat nog duren? Ik heb een kennis die op het stadhuis werkt. Die heeft me verteld dat de Duitsers dezelfde soort plannen met ons hebben als met de Joden in hun eigen land. Niet het gewone leger, maar de SS, de Gestapo en de SD zijn dat aan het voorbereiden. Die plannen zijn al ver gevorderd. Er gaan geruchten dat alle Joden naar werkkampen zullen worden afgevoerd. Die geruchten worden steeds sterker. En wij moeten hier dus weg, voordat het te laat is.'
Het blijft even stil aan tafel. Buiten zingt een merel; de zomer van 1940 belooft prachtig te worden. Lex en Deborah kijken ongelovig naar het gezicht van hun vader, dat strak staat. Er is alleen een klein zenuwtrekje bij zijn linkermondhoek. Mevrouw Presser frommelt wat met een zakdoekje en kijkt naar het tafelkleed.
'Weg?' zegt Deborah dan geschrokken. 'Hoe, weg?'
'Over een paar maanden is Nederland niet veilig meer voor ons Joden', zegt vader zacht maar beslist. 'Wat er precies gaat gebeuren, weet ik natuurlijk ook niet, maar de voortekenen zijn slecht, heel slecht. En wij moeten dus maken dat we naar het buitenland komen.'
'Het buitenland?' zegt Lex verbaasd. 'Waar dan?'
'Zwitserland', zegt zijn vader. Hij klinkt nu zekerder. 'En we moeten snel zijn. Volgende week donderdag of vrijdag vertrekken we. Van den Assem en ik hebben alles al geregeld.'
'Maar... maar,' stamelt Lex, 'dat kan toch niet zó maar. Hoe moet het dan met mijn school? En de universiteit? En wat gebeurt er met dit huis en met de zaak? Hoe moet dat met de reis erheen? Moeten we door Duitsland? Dat kán toch helemaal niet!'

‘Het zal een moeilijke reis worden,’ zegt zijn vader, ‘maar ik heb alles al voorbereid. Van den Assem heeft me daar heel erg bij geholpen. Die man is goud waard. Hij heeft er via een van onze relaties in Duitsland voor gezorgd dat er op een bepaalde plek, net over de grens in Limburg, een auto met chauffeur staat. Een ziekenwagen, die wekt geen argwaan. De auto zal ons in één ruk via binnenwegen naar de Zwitserse grens brengen en eenmaal daar zullen we veilig zijn. Zwitserland is neutraal en in Basel heb ik ook een goede kennis, via de zaak. Die heb ik gebeld en hij heeft me beloofd ons verder te helpen om ons leven daar op te bouwen. Totdat we na de oorlog terug kunnen gaan.’
Lex staat op. Zijn hoofd bonst en zijn gezicht is rood geworden. ‘Ik ga niet mee’, zegt hij met trillende stem. ‘Ik blijf hier. Ik wil het gymnasium afmaken en straks naar de universiteit. Ik hoef nog maar twee jaar. Ik ga niet mee!’

*

Meneer Presser kijkt zijn zoon niet-begrijpend aan. ‘Hoezo, “ik ga niet mee”?’ vraagt hij. ‘Je bent nog niet eens zestien! Voorlopig heb jij maar te doen wat ik zeg. En ik zeg dat je volgende week met ons meegaat naar Zwitserland.’
‘Maar mijn school dan?’ zegt Lex wanhopig, met tranen in zijn stem. ‘En… en láter, de universiteit en zo? Hoe moet dat dan verder?’
Zijn vader legt een hand op zijn arm, maar Lex trekt driftig de arm terug. ‘Luister’, zegt zijn vader sussend. ‘Ik begrijp hoe erg dat op dit moment voor je moet zijn. Het komt ook zo onver-

wacht, dat snap ik best. Maar dit is overmacht. Het gaat om ons leven, bedenk dat dan toch eens!'

'Ons leven!' schampert zijn zoon. 'De Duitsers gaan misschien wat moeilijker tegen ons doen, ja. Maar heeft Seyss-Inquart niet zelf gezegd dat de Nederlanders als Germaans broedervolk zullen worden behandeld?'

'Misschien kun jij onder de Duitse bezetting straks helemaal niet meer naar het gymnasium, laat staan naar de universiteit,' antwoordt Presser ernstig. 'Kijk maar wat er in Duitsland is gebeurd: daar mogen Joden niet meer studeren. Hitler wil Duitsland immers 'entjuden'. Dat gebeurt hier straks ook, Germaans broedervolk of niet. Joden zijn geen Germanen, geen Ariërs, laat staan broedervolk.'

'Duitsland, Duitsland', zegt Lex driftig. 'Duitsland is Nederland niet!'

Zijn vader zucht. 'Neem nou maar van mij aan dat Joden het ook in dit land nog heel moeilijk gaan krijgen. En voordat dat gebeurt, wil ik met jullie in Zwitserland zijn.'

Lex plant zijn ellebogen op tafel. Hij moet grote moeite doen om niet te gaan huilen, maar dat kan nu natuurlijk niet. Hij is vijftien, straks gaat hij naar de vierde van het gymnasium en over twee jaar gaat hij naar de universiteit in Leiden. En hij gaat níet mee naar dat stomme Zwitserland, wat ze ook zeggen. Ze kunnen hem niet dwingen.

3

De vlucht

Zijn moeder heeft tot nu toe gezwegen, maar mengt zich nu ook in het gesprek. 'Je kunt in Zwitserland vast ook naar het gymnasium en later misschien ook wel naar de universiteit.'
'Ja, vast wel!' hoont Lex. 'Als ik daar terecht kom, dan word ik natuurlijk teruggezet, om de taal en zo; en ze hebben daar vast een ander schoolsysteem. Dan moet ik misschien wel weer in de tweede beginnen. Dan moet ik nog vier jaar, ben ik maar liefst twéé jaar kwijt!'
'Als je hier blijft, raak je waarschijnlijk nog veel meer kwijt', zegt Deborah ineens en Lex kijkt verbaasd naar zijn zuster. Het komt niet vaak voor dat ze iemand tegenspreekt.
'Luister', zegt Presser. 'Ik zal jullie uitleggen wat er allemaal gaat gebeuren. Het huis, de zaak: dat komt in orde. Ik heb Van den Assem zover gekregen dat hij met alles meewerkt. De inventaris van dit huis kunnen we natuurlijk niet meenemen, maar ik heb het voor elkaar dat hij hier komt wonen, om op de boel te passen; hij neemt ook onze auto onder zijn hoede. Hij is ongetrouwd en woont op een gemeubileerde kamer, dus hij heeft aan niemand verantwoording af te leggen. Die kamer zal hij gemakkelijk door kunnen verhuren en hij krijgt op de koop toe een mooi, gemeubileerd en gestoffeerd huis en een auto in bruikleen. Als we na de oorlog terugkomen, draaien we alles weer terug. Ik heb aanvankelijk wel flink op Van den Assem moeten inpraten, maar het is

nu allemaal rond. Hij heeft de beste manier bedacht waarop we zo veilig mogelijk kunnen vluchten en ik moet zeggen dat hij, na aanvankelijk nog te hebben geaarzeld, heel loyaal heeft meegedacht en meegewerkt.'
'Maar wat gebeurt er dan met de zaak?' vraagt Lex
'Die wordt op een klein pitje voortgezet', antwoordt zijn vader. 'Geen nieuwe contacten meer aanboren en de bestaande contacten beperken tot lopende zaken en contracten. Van den Assem kan het beheer over Presser Textiel overnemen totdat we terug kunnen. Hij kan er net zo van leven als voordien.'
'U schijnt wel veel vertrouwen te hebben in die Van den Assem', bromt Lex. Zijn vader zucht.
'Ja, dat heb ik. En ik kon het allemaal niet alleen af, ik had nu eenmaal hulp nodig. Het is een goeie man en erg aan de zaak en aan mij gehecht. Hij vindt het verschrikkelijk dat we moeten verdwijnen, maar hij begrijpt het heel goed. En hij weet ook erg veel. Ik had het niet achter hem gezocht, maar het is een fanatieke fietser, die heel Limburg op z'n duimpje kent. Daardoor weet hij in de buurt van het dorp Echt een weggetje dat over de grens naar Duitsland gaat. Er is daar geen grenscontrole en dat is waar we heen gaan om over te stappen in de ziekenwagen die ons naar Zwitserland brengt.'
'Een ziekenwagen,' zegt Deborah angstig, 'kunnen we daar allemaal in, met de bagage?'
'Ja, die auto's zijn ruim genoeg,' antwoordt haar vader, 'en ze hebben de draagbaren er uitgehaald, zegt Van den Assem. Het zal niet erg comfortabel zijn, maar daar zullen we doorheen moeten bijten. Het is een dikke zeshonderd kilometer binnendoor en we

hebben uitgerekend dat we er elf tot twaalf uur over zullen doen. Maar onderweg zullen we echt wel eens op een stil plekje kunnen stoppen om onze benen te strekken en iets te eten.'

*

Lex luistert niet meer naar het gesprek. Het stormt in zijn hoofd. In één klap ligt zijn droom aan duigen. Zijn droom van nog twee jaar in de veilige beslotenheid van het gymnasium, met de vertrouwde docenten en zijn medeleerlingen en daarna het grote avontuur van de universiteit in Leiden. En vervolgens een briljante loopbaan als advocaat. Hij had het zo mooi uitgestippeld, en nu? Zijn droom is aan gruzelementen gevallen. Zwitserland! Hij weet er niet veel van, behalve dat er heel veel bergen en banken zijn. Zijn Duits is vrij redelijk, maar hij heeft een zakenrelatie van zijn vader wel eens Schwyzerdütsch horen praten, zo heette dat, en daar verstond hij geen klap van. Moet hij nu zijn hele leven gaan omgooien en zo'n beetje opnieuw beginnen? Mag zijn vader hem dat aandoen?
Hij denkt er even vluchtig aan dat zijn vader, moeder en zusje óók hun hele leven zullen moeten omgooien. Voor Deborah is het niet erg, vindt hij, die zit toch niet meer op school, ze heeft maar een paar vriendinnen en ze komt bijna nooit buiten de deur. Zijn moeder schikt zich ook wel, die zit immers ook altijd maar thuis, dus die laat ook geen druk sociaal leven achter. Nou ja, voor zijn vader is het natuurlijk wel heel erg. Hij moet voorlopig zijn zaak en zijn huis opgeven en gaat een onzekere toekomst tegemoet. Maar híj is toch met het plan gekomen? Híj heeft het toch be-

dacht, samen met die Van den Assem?
Nee, Lex gaat niet mee. Hij vertikt het. Ze gaan maar alleen, zonder hem, hij redt zich wel. En langzaam rijpt er het begin van een plan in zijn hoofd.
Lex, die weer naar het gesprek is gaan luisteren, bedenkt nog iets: 'Hoe komen we aan genoeg geld? U verdient daar in Zwitserland natuurlijk niks. Het kóst alleen maar geld.'
'Maak je daar maar geen zorgen over', antwoordt Presser. 'Ik mag wel zeggen dat we in zeer goeden doen zijn. Ik heb de laatste jaren veel verdiend en veel gespaard. Morgen is het maandag. Dan ga ik naar de bank en neem al het geld van mijn privérekening contant op. Ik heb al eerder een groot gedeelte van de rekening van Presser Textiel naar privé overgeheveld. Dat geld nemen we uiteraard mee naar Zwitserland. Het is genoeg om er zeker drie jaar met z'n vieren goed van te leven. Dan is de oorlog ongetwijfeld voorbij en gaan we terug. Ook Van den Assem zal genoeg hebben om mee te werken en van te leven. Ik heb hem wel een vrij aanzienlijk bedrag moeten betalen in ruil voor zijn hulp en zijn stilzwijgen.'

*

'Wat kunnen we meenemen?' vraagt Deborah benauwd. 'Toch wel íets?'
'Tja, die bagage,' antwoordt Presser, 'dat is wel een punt. We kunnen wel wat dingen meenemen, maar niet meer dan dat er in één flinke koffer en een rugzak of zoiets kan. Kleding, veel kleding, toiletspullen, wat persoonlijke dingen, sieraden...'

'Schoolboeken', mompelt Lex. Zijn vader kijkt hem even aan. 'Ja, schoolboeken lijken me ook wel verstandig. Maar niet méér bagage dan dat er in een koffer en een rugzak kan. We kunnen natuurlijk geen nutteloze zaken meenemen. De rest blijft hier in huis.'
'Jullie kunnen wel alvast een lege koffer mee naar jullie kamer nemen', zegt moeder Presser. Dan kun je die gaan vullen. En een rugzak. We hebben er genoeg, kijk maar in de gangkast.' Ze is in haar gedachten al bezig met de reis en door de zaken rustig te overwegen, houdt ze in haar hoofd alles op een rijtje.
Als Lex die avond naar zijn kamer gaat, sluit hij zijn deur af, gaat op zijn bed zitten en kijkt peinzend voor zich uit. Het plan dat daarnet in hem opkwam, neemt vastere vormen aan in zijn hoofd. Nee, hij gaat níet mee naar Zwitserland. Hij blijft hier, dichtbij zijn vertrouwde school, dichtbij zijn toekomst. Hij zal verdwijnen en hij weet ook wel waarheen: aan de achterkant van het gymnasium, aan het einde van een paadje, verborgen tussen de bosjes, is een luik dat toegang geeft tot de kolenkelder van de school. Via die weg kan hij in het gebouw komen en dan naar de zolder gaan, waar hij zich voorlopig kan installeren. Het is vakantie en er zal niemand op school zijn vóór begin september. Tegen die tijd ziet hij wel verder. Als hij maar wég is, weg van zijn familie, die hem tegen zijn wil naar Zwitserland wil meenemen!
Hij besluit morgen te gaan kijken of het luik open is, de weg vrij en of hij al iets kan voorbereiden.
Hij neemt een kistje uit zijn nachtkastje, opent het en bekijkt de inhoud. Er zit geld in. In de loop van de tijd heeft hij van zijn zakgeld en ander geld dat hij kreeg voor klusjes die hij had opge-

knapt bijna zeventig gulden gespaard. Niet slecht, maar te weinig; hij zal toch moeten leven. En hij bedenkt nóg een plan.

*

Donderdagavond zullen ze vertrekken, zo is afgesproken. Lex heeft maandag goed opgelet toen zijn vader van de bank kwam, een zware tas in de hand. Hij heeft hem weer in het zijkamertje zien verdwijnen en even later zonder tas zien terugkomen. Hij knikt naar zijn vrouw. 'In orde', zegt hij.
De volgende dag is Lex al vrij vroeg op. Na het ontbijt mompelt hij dat hij naar de Smits gaat en nee, hij zal natuurlijk geen woord zeggen over de voorgenomen vlucht. Hij verdwijnt via het gangetje achter het huis. Uit de gangkast heeft hij stilletjes een rugzak meegenomen en uit het gereedschapskistje in de schuur een zaklantaarn, een zware schroevendraaier en een tang gehaald.
Natuurlijk heeft hij goed om zich heen gekeken voordat hij het paadje naar de achterkant van het gymnasium inslaat, maar er is niemand te zien en niemand kan hem zien, want er staan geen hoge huizen dichtbij het schoolgebouw. Het luik naar kolenkelder is inderdaad op slot, maar de schroevendraaier doet wonderen: het slot springt na wat wrikken los en hij kan het luik gemakkelijk openmaken. Met kloppend hart daalt hij in de kolenkelder af. Hij moet tussen de bergen steenkolen door laveren en bereikt dan de deur die in de verwarmingskelder van de school uitkomt. Die deur is open. Hij klimt de keldertrap op en komt in het kantoortje van conciërge Verwer terecht. Even staat hij gespannen te luisteren, maar het is doodstil in de school. Geen wonder: het is

immers vakantie. Nadat hij dezelfde weg is teruggegaan, blijft hij even staan om het kolenstof zo goed mogelijk van zijn broek en schoenen te kloppen. Als hij tevreden is over het resultaat, loopt hij met besliste tred naar de winkelstraat om de hoek.
Na een paar uur is hij met een uitpuilende rugzak terug bij het gymnasium. Hij gaat via de verwarmingskelder en het kantoortje van Verwer de school in. Daar hangt een sleutelrek. Er zitten labeltjes aan alle sleutels, dus Lex heeft geen moeite om de sleutel van de deur van het kantoortje naar het inwendige van de school en de sleutel van de zolderdeur te vinden. Hij ontsluit de kantoordeur, beklimt de trap naar de tweede etage en blijft bij de deur naar de zolder staan. De sleutel past.
'Allicht!' mompelt Lex.
Hij zeult de zware rugtas de trap op. De zolder is vrij licht, omdat er nogal veel dakraampjes zitten. Bij dat licht pakt hij de rugzak uit. Allerlei blikken met etenswaar. Een spiritusbrander. Een pannetje. Nog een pannetje. Volle flessen.
Als hij de zolderdeur heeft afgesloten en de sleutel in zijn zak steekt, is hij trots op zichzelf. Hij mag dan nog geen zestien zijn, toch heeft hij alles als een volwassene piekfijn uitgedacht en geregeld. Morgen gaat hij opnieuw deze tocht maken en dan is er nog één belangrijke hobbel te nemen en als hij daaraan denkt, voelt hij toch wel een steen in zijn maag. Hij is pas tegen het avondeten thuis.

*

Nu is Lex er klaar voor. Hij heeft woensdagochtend en een deel

van de middag nog meer zaken naar de zolder van het gymnasium gebracht, de zoldersleutel en de sleutel van Verwers kantoortje in de stad laten dupliceren en de originelen weer aan het sleutelrekje gehangen. Er kan niets meer misgaan. Vannacht, als iedereen slaapt, zal hij vertrekken. Hij heeft een lege koffer mee naar zijn kamer genomen en die gevuld met kleding, toiletbenodigdheden en dingen die hij beslist wil meenemen. De rugzak vult hij met zijn nieuwe schoolboeken, wat schriften, potloden, een gummetje. Hij besluit om wel op tijd naar boven te gaan, maar wakker te blijven. Op zijn kamer aangekomen, zet hij zich achter zijn schrijftafel en begint aan een brief aan zijn ouders. Vier keer gooit hij een prop in de papiermand, pas met de vijfde poging is hij tevreden. Hij laat de brief op zijn schrijftafel liggen en zit even nadenkend voor zich uit te kijken. Heeft hij aan alles gedacht? Niets vergeten?
Wakker blijven lukt hem niet, hij zit te knikkebollen op zijn stoel en dan besluit hij maar gekleed op bed te gaan liggen en te proberen wat te slapen. Zijn wekker zet hij op half drie en stopt hem onder zijn kussen, zodat het gerinkel straks niemand anders zal wekken. Toch lukt het hem niet direct in slaap te komen. Het gaat te veel tekeer in zijn hoofd.

*

Met een schok schrikt hij wakker en grijpt onder het kussen naar de wekker om hem af te zetten. Nog slaapdronken propt hij zijn hoofdkussen in de koffer en sluit die. Dan doet hij zijn schoenen uit, loopt op z'n tenen naar de deur en opent die voorzichtig. Op de overloop blijft hij even met ingehouden adem staan. De kamer van Deborah is om de hoek, zijn ouders slapen twee deuren verder. Heel flauw hoort hij uit die kamer gesnurk. Hij sluipt de trap af en doet beneden de deur van het zijkamertje heel voorzichtig open. Gelukkig knarst hij niet. Hij kijkt rond in het licht van de straatlantaarn die voor het raam staat. In het kastje tegen de muur moet hij zijn; de sleutel zit in het deurtje.

Even kraakt het als hij het deurtje opendoet en hij verstart, terwijl hij zijn adem inhoudt. Maar hij hoort niets alarmerends en tast in het kastje rond. Daar is de tas. Hij opent de klep en voelt. De tas zit stampvol bankbiljetten, die in pakjes zijn verdeeld. Zonder verder te kijken, grijpt hij zo'n pakje, sluit tas en deur en haast zich op zijn tenen weer naar boven. Daar kijkt hij snel hoeveel geld hij heeft gestolen: het pakje bevat twintig biljetten van 25 gulden. Vijfhonderd gulden, daar kan hij het een hele tijd van uithouden, meent hij.

Dan is het snel gebeurd: hij pakt zijn koffer op, hangt de rugzak om en gaat opnieuw zo geluidloos mogelijk de trap af, wat nog een heel karwei is, met de zware bagage die hij met zich mee moet zeulen. Voorzichtig doet hij in de keuken de achterdeur van het slot en komt via de tuin in het gangetje dat naar de straat voert. Er is gelukkig geen maan. Dicht tegen de huizen aan loopt hij in de richting van het gymnasium, vurig hopend dat hij niemand zal tegenkomen. Eén keer hoort hij in de stille nacht voetstappen zijn kant op komen. Hij verdwijnt in een diep portiek en wacht met ingehouden adem tot de voetstappen voorbij zijn. Het is een politieagent, maar die kijkt niet op of om.

*

'Beste ouders', staat er boven de brief. Als mevrouw Presser op donderdagmorgen op de deur van Lex' kamer klopt en geen gehoor krijg, doet ze de deur voorzichtig open en kijkt naar binnen. En wordt bijna misselijk van de plotselinge schrik die haar naar de keel grijpt. Het bed is opgemaakt, het kussen verdwenen en ook ziet ze Lex' koffer en rugzak nergens. Maar op zijn schrijftafel ligt een papier.

Beste ouders,

Als u dit leest, zit ik al ver weg op een veilige plaats. Probeer me maar niet te zoeken, want u vindt me toch niet. Ik ga dus niet mee naar Zwitserland, want ik wil hier de school afmaken en naar de universiteit. U hebt niet het recht om mijn toekomst weg te gooien en ik red me heus wel. Ik heb het allemaal heel goed bedacht en ook heel goed uitgevoerd. Vader, het spijt me, maar ik heb geld uit uw tas genomen, want ik had geld nodig. Het is vijfhonderd gulden en als ik eenmaal advocaat ben, betaal ik het terug. Er zat toch genoeg in de tas en nu ik niet meega, is er voor mij ook geen geld nodig. Ik hoop dat jullie een goede reis zullen hebben en als de oorlog voorbij is, zien we elkaar wel weer terug.

Lex

Mevrouw Presser staat verstard naar het papier te staren. Dan

gilt ze: 'Man! Kom gauw!' Presser Textiel is vandaag gesloten en meneer Presser is thuis. Hij hoort het gillen van zijn vrouw en is in drie, vier stappen boven en in de slaapkamer. Snikkend houdt zijn vrouw hem de brief voor. Presser leest en wordt krijtwit.
'Weg?' stamelt hij. 'Hoe kan dat nou? Waar is hij heen?'
'Hij is al ver weg, schrijft hij' zegt zijn vrouw met trillende stem. 'Misschien heeft hij het geld wel gebruikt om iemand te betalen die hem ergens heen brengt.'
'Maar wáárheen dan?' vraag Presser wanhopig. 'De enige familie die we hier in Nederland hebben, is mijn oom Job, in Leeuwarden. Maar die kent Lex nauwelijks en daar zou hij ook niet aan kunnen kloppen. Oom Job stuurt hem meteen terug, daar ben ik zeker van.'
'En wat doen we nou vanavond?' jammert zijn vrouw. 'We kunnen het immers niet meer afzeggen!'
Het is stil in de slaapkamer. Presser denkt koortsachtig na, maar hij kan zich niet concentreren; de gedachten tollen door zijn hoofd.
'Kun je nergens gaan zoeken?' smeekt mevrouw Presser.
'Zoeken? Waar dan?'
'Ik weet niet... De Smits? Misschien weet die vriend van Lex er meer van, heeft hij er met hem over gepraat.'
Haar man is al weg, de trap af, naar de Smits; gelukkig wonen ze dichtbij. Hij zal nu wel moeten vertellen dat zij gaan vluchten, bedenkt hij onderweg.
Ook Smit schrikt hevig en roept direct zijn zoon erbij. Maar Hans is al even hard geschrokken als zijn vader en kan niets vertellen, hoe dringend Presser ook vraagt. Voordat hij onverrichter

zake naar huis terugkeert, belooft Presser de winkelier dat hij Smit onmiddellijk zal inlichten wanneer ze in Basel zullen zijn aangekomen; hij geeft Smit ook het adres. Wellicht is er dan ook nieuws van Lex, hoopt hij. Smit blijft even in gedachten voor zich uit kijken. Hans is helemaal van de kook en herhaalt steeds: 'Lex moet gek zijn… hij moet gek zijn…' Gek? Smit is eerder geneigd te denken dat Lex vooral een zeer doortastend jongmens is.

*

Presser is naar de politie geweest, maar dat heeft niet veel opgeleverd. 'Wacht u nou eerst maar eens een paar dagen en kom dan nog eens', zegt de politieman. 'Wij hebben hier geen aanwijzing dat uw zoon iets is overkomen. Meestal komen ze na een dag of twee met hangende pootjes terug.' En dan weet Presser het niet meer. Hij stapt in de auto en begint doelloos door de stad te rijden, speurend naar zijn zoon, maar hij staakt zijn zoektocht al gauw. Waar moet hij zoeken? De jongen kan overal zijn.
Van den Assem is gevraagd om naar de Pressers toe te komen. Ook hij schrikt erg van het bericht, maar weet zo direct ook geen oplossing te bedenken. Timide zit hij samen met de Pressers aan de eettafel.
Mevrouw Presser wil in elk geval niet mee vanavond. 'Ik laat Lex hier niet achter', snikt ze. 'Gaan jullie maar alleen!'
Daar is geen sprake van, vindt haar man. 'Daar komt niets van in. Jij blijft hier niet alleen achter, Lex of geen Lex. Het gaat om je leven, begrijp dat dan toch!'
'Maar laten we dan nog een paar dagen wachten,' dringt ze aan.

'Misschien komt hij inderdaad weer gauw terug. Als hij hier blijft, speelt hij met zijn leven.'
Van den Assem kucht. 'Eh... mevrouw Presser', zegt hij behoedzaam. 'Uitstel is echt onmogelijk. De afspraak ligt vast en kan nu niet meer worden veranderd. Vergeet u niet dat onze contacten in Duitsland ook ernstig gevaar lopen.'
En dan is het de schuchtere Deborah die de knoop doorhakt. 'Moeder,' zegt ze, 'er is niets aan te doen. Lex is een heel slimme jongen. Waar hij is, weet ik ook niet, maar ik weet zeker dat hij zijn zaakjes voor elkaar heeft. Hij loopt minder gevaar dan wij straks. We moeten erop vertrouwen dat hij het zal redden, iets anders kunnen we immers niet doen. En wij moeten onszelf toch ook proberen te redden?'
Na uren te hebben gediscussieerd, zijn ze er nog niet echt uit. Maar er blijft geen andere mogelijkheid. Van den Assem belooft in elk geval dat hij straks intensief naar Lex op zoek zal gaan en hem onder zijn hoede zal nemen als hij is gevonden. En dat stelt mevrouw Presser dan enigszins gerust. Maar vrede heeft ze er natuurlijk niet mee.

*

De Ford van de Pressers rijdt door de zomernacht. Op hun weg van Amsterdam naar het zuiden zijn ze geen problemen tegengekomen. Ze hebben wel veel Duitse militairen gezien, maar geen van hen besteedde meer dan vluchtige aandacht aan hun auto. Ze ademen nu dan ook wat gemakkelijker, hoewel er toch een zenuwachtige spanning in de wagen hangt. Ze zitten inmiddels in Limburg, op de weg van Roermond naar Sittard, vlak langs de Duitse grens. Het is al laat, het loopt tegen drie uur, en er is geen mens op de weg. De enkele huizen die ze passeren, liggen donker onder het schaarse maanlicht. Deborah en haar moeder zitten hand in hand achter in de auto en proberen door de autoramen iets van het landschap te zien, maar er is niet veel te ontwaren. In de bagageruimte weten ze hun koffers en rugzakken.

Presser rijdt. Naast hem op de voorbank van de Ford zit Van den Assem. 'Het dorp Koningsbosch ligt hier rechts,' mompelt deze, zijn gezicht dicht bij de voorruit en gespannen in het duister turend. 'Nu moet u langzamer gaan rijden. Zo dadelijk komt er een afslag rechts, daar ga je naar Echt. Op die afslag moeten we een klein weggetje links inslaan. Eigenlijk is het meer een fietspad. Dat weggetje gaat over de grens; er is daar geen grenswacht en het komt in Duitsland uit op een kleine landweg. Ik herinner me dat van mijn fietsvakantie van twee jaar geleden. Je merkt niet eens dat je over de grens komt. Op die landweg staat onze man te wachten.'

De spanning in de auto stijgt. Presser rijdt voorzichtig door en ziet dan de afslag rechts. Hij stopt en kijkt naar links. Het weggetje is nauwelijks zichtbaar in het licht van de koplampen. Alleen een verweerde wegwijzer geeft aan dat je hier het bos in kunt rijden. Even later bonkt de auto over het oneffen wegdek. Presser rijdt heel voorzichtig.

Na een paar honderd meter heft Van den Assem een hand. 'Hier komen we aan die landweg. Zet de auto maar aan de kant, meneer Presser.' De auto stopt. Presser zet de motor af en draait het portierraampje open. Het is nog pikdonker en doodstil. Zijn horloge vertelt hem dat het al even over drieën is; ze hadden afgesproken hier om drie uur te zijn. 'Niemand te zien', fluistert hij. Van den Assem lijkt nog zenuwachtiger dan de Pressers. Zijn handen trillen. 'Hij zal er nog niet zijn', zegt hij zacht. 'Laten we maar uitstappen.'

*

Ze voegen de daad bij het woord en staan in de warme nacht gespannen in het donker te turen. Er is niets te zien. Links en rechts van hen is dicht bos, alleen de landweg voor hen licht flauw op onder de maan, die af en toe tussen de wolken zichtbaar is.
Plotseling klinkt het geluid van een startende automotor, vlak om de hoek van het bos, en het gekletter van metaal. Dan baadt de omgeving in een fel licht. Er springen vier militairen uit een legervrachtwagen, geweren in de aanslag. 'Hände hoch!' snauwt een stem. Deborah gilt kort en schel. Pressers hart lijkt een moment stil te staan. 'Verraden!' schiet het door hem heen. 'Van den Assem!' Het is een voor de hand liggende conclusie. Wie anders wist van hun vlucht en van dit ontmoetingspunt? Trillend van de schrik steken de Nederlanders hun handen in de lucht.
Uit de duisternis waar de nauwelijks zichtbare auto is gestopt, komt op zijn gemak een grote man de lichtkring binnen. Ondanks de zwoele nacht draagt hij een lange leren jas en een hoed. Uit zijn zak haalt hij een ovale metalen penning aan een ketting en draait die zó dat het licht, van de schijnwerper op de cabine van de auto, erop valt. Aan de ene kant van de penning is de Duitse adelaar afgebeeld. Als de man hem omdraait, lezen ze 'Geheime

Staatspolizei', met daaronder een nummer. De man houdt de penning wat hoger en draait hem nog een keer, zodat hij er zeker van is dat het viertal tegenover hem de identificatie goed heeft gezien. 'Ach so, Herr Presser', zegt de Gestapo-agent dan temend. 'Möchten Sie Ihren Urlaub in Deutschland verbringen?'
De Pressers staan als versteend. Hun harten zitten in hun keel. Deborah begint zachtjes te huilen. De agent kijkt fronsend naar het gezelschap. 'Nur drei?'zegt hij als in zichzelf. Dan haalt hij zijn schouders op. 'Wir werden sehen.' Hij wijst over zijn schouder naar de legerwagen. 'Einsteigen!'
Achter de Pressers slaat plotseling een autoportier dicht en wordt de motor van de Ford gestart. De auto rijdt gierend in z'n achteruitversnelling met hoge snelheid terug het weggetje in. De soldaten richten als één man hun geweren, maar de agent heft gebiedend een hand op. 'Lasst ihn in Ruhe', zegt hij. 'Der kommt nicht weit!'
Voordat de drie Pressers in de wachtende legervrachtauto worden geduwd, horen ze in de verte het doffe geklop van een automatisch wapen. Daarna het gieren van banden en een rinkelende klap. Dan is er weer stilte, die wordt verbroken door de startende legerwagen. Ze rijden oostwaarts. Aan de horizon wordt het lichter. De wolken zijn verdwenen. Een prachtige zomermorgen breekt aan.

4

Onderduiken

Met een schok schrikt Lex wakker. Zoals elke morgen blijft hij nog even liggen, scherp luisterend naar eventuele geluiden in de school. Maar hij hoort nooit iets. Dit wordt de vierde dag nadat hij zijn bivak op de zolder van het gymnasium heeft opgeslagen. Het is zondag, realiseert hij zich en hij weet nu ook waarvan hij wakker is geworden: het gebeier van kerkklokken buiten. Dat gaat gewoon door, oorlog of geen oorlog.
Hij schuift het dek van zich af en zwaait zijn benen buitenboord. Van een stapel in de hoek gevonden gordijnen, een van huis meegenomen kussen en waarachtig een oude matras die hij op de zolder vond, heeft hij een comfortabel bed gemaakt. Niettemin heeft hij nog niet echt goed geslapen. De vreemde omgeving en de wat bedompte atmosfeer op de zolder maken het er niet gemakkelijker op. Maar vooral ligt hij veel te piekeren. Hoe het met zijn ouders en zusje zou gaan? Zijn ze al veilig in Basel aangekomen? En hoe hebben ze gereageerd op zijn verdwijning? En op het meenemen van het geld? Weliswaar zat de tas helemaal vol met bundeltjes bankbiljetten, maar het voelt toch aan als gewoon stelen. Lex mag zich dan voordoen als een slimme, stoere jongeman, maar hij is natuurlijk toch nog maar een jongen van vijftien. Levenservaring heeft hij nauwelijks, maar daar denkt hij niet aan. Liever laat hij zijn gedachten teruggaan naar de voorbereiding

voor zijn ontsnapping, zoals hij het in gedachten noemt. Overal heeft hij aan gedacht, alle voorbereidingsmaatregelen heeft hij immers genomen? Alles klopte toch? En nu zit hij hier veilig, op de enorme, flauw verlichte zolder van 'zijn' gymnasium.
Wassen en naar het toilet gaan kan hij gewoon in de jongenstoiletten op de tweede verdieping. Daar is natuurlijk ook drinkwater. Hij hoeft alleen maar de zoldertrap af en een klein eindje de gang door. Gelukkig is het water niet afgesloten, maar dat hoeft in de zomer natuurlijk ook niet, bedenkt Lex. Hij wast zich en poetst zijn tanden. Als hij de ruimte zorgvuldig van alle sporen van zijn toilet heeft ontdaan, vertrekt hij weer naar zolder. Voor zijn ontbijt. Hij bedenkt dat zijn melk bijna op is. Morgen of overmorgen zal hij er misschien even op uit moeten om nieuwe te halen. Anders zou hij ook thee kunnen zetten; hij heeft hier alles in voorraad. En hij maakt zich zorgen over zijn wasgoed. Wat moet hij daarmee? Niemand kan het nu voor hem wassen. Hij moet het maar uitzingen met zijn vuile goed totdat hij tevoorschijn kan komen.

*

Later zit hij eenzaam in zijn klaslokaal, dat ook op de tweede verdieping ligt. Vandaag wil hij Latijnse vertalingen gaan maken uit zijn nieuwe themaboek. Het werk schiet echter niet op omdat hij zo veel heeft om aan te denken. Voortdurend dwaalt zijn aandacht van het leerboek en de dictionaire weg naar zijn eigen situatie. Dat hij hier niet tot aan de eerste schooldag in september zal kunnen blijven, is natuurlijk duidelijk. Zijn eten begint

langzamerhand op te raken en Lex realiseert zich dat er nog veel meer komt kijken bij zo'n ontvluchting dan hij zich aanvankelijk heeft gerealiseerd. Hij zal zich nog een korte tijd schuil kunnen houden en dan moet hij onderhand actie gaan ondernemen. Tenslotte zal hij ergens moeten gaan wonen en hoe en waar heeft hij al uitgedacht: hij neemt aan dat meneer Van den Assem al een paar dagen terug is van de grens en zijn ouders en Deborah daar netjes heeft afgeleverd. Dat Van den Assem een verradersrol heeft gespeeld en zijn familie aan de grens inderdaad netjes is afgeleverd, maar dan aan de Gestapo, weet hij natuurlijk niet. Dat Van den Assem daarbij ook gevangen is genomen en misschien wel gedood, zal hij waarschijnlijk ook nooit te weten komen.
En hoe veilig is het voor hem om buiten te komen? Hij is dan wel niet zo somber over de politieke toestand als zijn vader; hij denkt dat het allemaal nog wel zal meevallen, maar dat er wel degelijk gevaar dreigt voor de Joden is hem wel duidelijk. En hij is immers Joods? Niet dat je dat zo erg aan hem kunt zien, maar als ze hem nader aan de tand gaan voelen, zal hij toch door de mand vallen. Zijn achternaam kan hij immers niet geheim houden en bovendien is hij besneden.
Maar toch is hij vastbesloten om het gymnasium af te maken. Wat hij op dat moment nog niet weet, is dat over een dikke maand het aanstellen en bevorderen van Joodse ambtenaren zal worden verboden en dat weer een maand of twee later alle Joodse ambtenaren zullen worden ontslagen, en ook drie leraren en een lerares van zijn gymnasium. Dat in diezelfde maand november de Leidse hoogleraar rechtsgeleerdheid Rudolph Cleveringa in een toespraak tegen die ontslaggolf zal protesteren, waarna studen-

ten van de Universiteit Leiden een staking uitroepen; de Duitsers zullen vervolgens de universiteit sluiten. En dat in januari 1941 alle Joden zich moeten laten registreren en dat ze bijvoorbeeld niet meer in bioscopen zullen mogen komen. Vanaf mei 1941 zullen Joodse artsen en advocaten alleen nog diensten aan Joodse klanten mogen verlenen. Nog een jaar later, vanaf mei 1942, zullen Joden verplicht zijn een stoffen davidsster op hun kleding te dragen, met het woord 'Jood' erin. Langzaam, maar zeker gaat er met de Nederlandse Joden hetzelfde gebeuren als er op dat moment al in Duitsland gebeurt. Ook de Duitse Joden, die eerder naar Nederland waren gevlucht, zullen straks opnieuw (of alsnog) worden vervolgd.

*

Nee, er is veel dat Lex nog niet weet en veel dat hij nog niet beseft. De verschrikkingen van de Jodenvervolging doemen langzaam aan de horizon op, als een monster dat met grijnzende kaken komt aandenderen, onafwendbaar en meedogenloos. Maar Lex is ondanks zijn vastberadenheid en doorzettingsvermogen te jong en te onervaren om het monster te zien. Hij is geobsedeerd door de vaste wil zijn studie aan het gymnasium af te ronden, naar de universiteit te gaan en na enkele jaren de meestertitel voor zijn naam te kunnen zetten. En dus zal hij spijkers met koppen moeten gaan slaan. Nog een week wil hij wachten, tot het rumoer rond zijn vermissing – hij neemt tenminste aan dat er wel wat rumoer zal zijn – is geluwd. Dan zal hij zijn schuilplaats opbreken, zijn boeltje pakken en naar huis gaan.

Dus houdt hij het voorlopig nog even bij zijn rustige leventje op de zolder van het gymnasium, alleen onderbroken door wassen, toiletbezoek, water halen en studeren in zijn eigen vertrouwde klaslokaal. Toch betrapt hij er zich op dat deze manier van leven hem steeds minder begint te bevallen. De zolder gaat hem tegenstaan omdat het er stoffig en benauwd is, zo dicht onder het dak, met buitentemperaturen van soms boven de dertig graden. Hij brengt dan ook veel tijd door in zijn klaslokaal, eenzaam in zijn vertrouwde bank. Studeren leidt hem weliswaar even af, maar wie studeert er nou in zijn vakantie, bedenkt hij.
Als hij uit het raam kijkt, ziet hij de groene weelde van de boomkruinen, die zachtjes heen en weer wuiven in de lauwe zomerwind, alsof ze hem uitnodigen naar buiten te komen, in de warme zon te lopen en onbezorgd naar de Amstel te fietsen om daar aan de waterkant te gaan zitten, met vrienden steentjes over het water te keilen en eindeloos over niks te praten. Maar zijn fiets heeft hij thuis gelaten, want die zou te veel opvallen als hij bij de school zou blijven staan. Zijn vrienden? Hij heeft er geen idee van waar die zijn en wat ze doen. Zou Hans al van zijn verdwijning weten en wat zou hij ervan denken? En meneer en mevrouw Smit? Zouden ze hem zoeken en zou meneer Van den Assem de politie hebben gewaarschuwd?
Lex voelt zich even ontzettend alleen. Tranen branden achter zijn oogleden, maar hij knippert een paar keer en vermaant zichzelf. Hij moet nog even flink zijn, nog even door de appel heen bijten, die zuurder en zuurder aan het worden is. Maar die week wil hij niet wachten, besluit hij. Morgen. Morgen al zal hij voorbereidingen gaan treffen om zijn boeltje bij elkaar te pakken, de sporen

van zijn verblijf te verwijderen en het gymnasium verlaten. Morgen zal hij naar huis gaan en zijn oude leventje weer zo goed en zo kwaad mogelijk oppakken. Hij legt zijn hoofd op zijn armen op de bank en blijft even voor zich uit mijmeren. Dan glijdt hij zacht in een door verwarde dromen gekwelde slaap.

*

'Wat zullen we nóu hebben?' Verward schiet Lex overeind, nog helemaal in de ban van een droom over een auto die met hoge snelheid door de nacht jaagt. In de deuropening van de klas staat conciërge Verwer, een sleutelbos in zijn hand en een ongelovige uitdrukking op zijn gezicht. 'Wat doe jij hier? Hoe ben je binnen gekomen?'
Lex weet even niet wat te zeggen. Hij is nog een beetje daas van de slaap waaruit hij door de luide stem van Verwer zo ruw is gewekt. De conciërge loopt de klas in en gaat bij Lex' bank staan. 'Ben jij een leerling van het gymnasium?' Lex knikt verwezen. Verwer kijkt naar de schoolboeken op de bank, dan wat nauwkeuriger naar Lex' gezicht en knijpt zijn ogen even dicht. 'Ah, ik zie het al. Die jongen van Presser. De vechtersbaas. Vertel op: hoe kom jij hier in de school? En wat ben je aan het doen? Hoe lang ben je hier al?'
Als Lex en zijn medeleerlingen het over Verwer hebben, klinkt er altijd een zekere neerbuigendheid bij hen door. Een conciërge is immers lager personeel, niet te vergelijken met het lerarenkorps en eigenlijk ook niet met de leerlingen. Hij zorgt dat de deuren op tijd opengaan, stuurt de schoonmakers aan, regelt de verwarming

en dat soort dingen. Maar het is 'Verwer' en nooit 'meneer Verwer'. Ongetwijfeld een nuttige man voor de school, maar iemand aan wie je normaal gesproken achteloos voorbijgaat.
Maar dit is anders. Nu vertegenwoordigt de conciërge Het Gezag. Dreigend staat hij voor Lex' bank en tikt met een vinger op het bovenblad. 'Nou? Komt er nog wat van?'
De jongen slikt en slikt nog eens. Dan laat hij zijn flinkheid varen en barst in geluidloos snikken uit. Met horten en stoten vertelt hij het hele verhaal. Hoe zijn ouders het plan hadden opgevat om naar Zwitserland te vluchten. Dat hij niet mee wilde, omdat hij zijn school wilde afmaken en aan de universiteit gaan studeren. Zijn vlucht uit huis, hoe hij de school is binnengekomen, dat hij sleutels heeft laten dupliceren en op zolder heeft geslapen. Als hij klaar is met zijn verhaal, zit hij te huilen, ontredderd door de situatie.
De conciërge is in de bank tegenover hem gaan zitten en kijkt Lex peinzend aan. Het is even stil in de klas. Alleen de gedempte snikken van Lex zijn hoorbaar.
'Nou nou, wat een verhaal', zegt Verwer bars, maar toch met een zweem van bewondering in zijn stem. 'Je snapt toch wel dat je een strafbaar feit hebt gepleegd? Inbraak, ook al heb je niets gestolen of vernield, is nooit goed te praten.'
Lex knikt. Hij weet het. Er valt weer een stilte.
'Je bent een Joodje, hè?' zegt de conciërge nadenkend. Opnieuw knikt Lex. Verwer zucht. 'Jullie krijgen het nog moeilijk', zegt hij, als in gedachten. Dan staat hij op. 'Vooruit, ga je spullen bij elkaar zoeken en ruim de rotzooi op die je gemaakt hebt. Dan ga je met mij mee naar huis en kunnen we het er eens over hebben

wat we nou met jou aan moeten.'

*

Mevrouw Verwer is een aardige, wat mollige vrouw, die na een korte uitleg van haar man een hand voor haar mond slaat en Lex medelijdend aankijkt. 'Je lust zeker wel een kopje thee?' vraagt ze vriendelijk en Lex zegt beleefd: 'Alstublieft mevrouw.'
De huiskamer van de Verwers is niet zo groot als bij hem thuis, maar wel erg gezellig. Een zwarte kat met een witte bef is voor hem op tafel komen zitten en geeft aanhankelijk kopjes als hij het beestje aait. Huisdieren hadden ze bij de Pressers niet, dat vond mevrouw Presser niet goed. Als Lex aan zijn moeder denkt, komt er een brok in zijn keel, dat hij met moeite wegslikt.
'Wat wil je nou precies gaan doen?' vraagt Verwer en Lex legt uit dat hij gewoon terug wil naar huis, waar meneer Van den Assem zich wel over hem zal ontfermen. Maar dat vindt de conciërge geen goed idee. 'De Duitsers weten natuurlijk allang dat je ouders en je zusje gevlucht zijn,' zegt hij zorgelijk, 'en je kunt erop rekenen dat de SD jullie huis in de gaten houdt. Dan moet je je daar niet laten zien.'
Maar wat dan? Heeft Lex geen vrienden in de stad, waar hij voorlopig terecht kan? Onmiddellijk denkt hij aan de Smits. Zouden die hem willen helpen? Ze weten vast wel meer over zijn huis en over meneer Van den Assem. Of de Duitsers het huis inderdaad in de gaten houden. En wat hij verder moet doen. Hij vertelt het aan Verwer en die knikt langzaam.
'Het lijkt me een goede oplossing', zegt hij. 'Hier kun je niet blij-

ven, want het zou een beetje vreemd zijn als er een leerling van het gym bij de conciërge intrekt. Ik zal je achter op de fiets naar die Smit brengen. Vanavond, als het donker is.' En hoofdschuddend voegt hij er aan toe: 'Jonge jonge, wat heb jij jezelf op je hals gehaald...'

Een paar uur later zit hij achter op de fiets van de conciërge, op weg naar de Smits. Wat is er de afgelopen week ontzettend veel gebeurd. Alles is heel snel gegaan, vindt hij. Alsof het gisteren was dat zijn vader met het plan kwam om naar Zwitserland te vluchten. Alsof hij gisteren in het gymnasium inbrak.

Het is zo goed als donker en de nachtlucht ruikt fris, maar tegelijk zwoel. Het lijkt wel of hij in geen jaren de buitenlucht heeft geproefd en hij ademt met volle teugen de zomer in. 'We moeten een beetje opschieten', hijgt de conciërge. 'Om tien uur gaat de avondklok in en dan moet ik weer thuis zijn.' Hij heeft het niet gemakkelijk, met de koffer van Lex voor zich op het stuur en de jongen achterop, met zijn rugzak. Maar ze zijn er nu bijna. Daar zien ze de etalage van de kledingwinkel al en even later staan ze voor de deur van de bovenwoning. Lex springt van de bagagedrager en belt aan.

*

Van boven wordt na een paar minuten, die een eeuwigheid lijken te duren, de deur opengetrokken. 'Wie is daar?' klinkt een meisjesstem. Het is Anneke, het zusje van Hans. Lex doet een stap naar voren en kijkt naar boven. Vaag ziet hij het silhouet van Anneke boven aan de trap staan. Nu doet ze het licht aan. Hij

kucht. 'Eh...,' zegt hij, 'Ik ben het. Lex. Lex Presser.' Het blijft even stil in het trapportaal. Dan gilt Anneke 'Vader! Hans! Lex is terug!' en roept naar beneden 'Kom gauw boven!'Lex neemt zijn koffer van Verwer aan en stapt naar binnen, de conciërge achter zich aan. Als hij een voet op de eerste trede zet, ziet hij bovenaan de trap meneer Smit en Hans verschijnen. 'Jongen, je bent terug!' roept de winkelier en als hij Verwer ziet: 'Wie heb je daar bij je?' 'Dat is Ver... meneer Verwer,' verbetert hij zichzelf, 'de conciërge van school.' Even later staan ze boven, opeen gepropt op de nauwe overloop, meneer Smit, Hans, Anneke, Verwer en Lex. Hulpeloos zet hij zijn koffer neer en kijkt Hans aan. 'Ja...', zegt hij.
'Kom, we gaan naar binnen', zegt Smit.
Zijn vrouw slaat haar hand voor haar mond en is al even verrast als haar man, Hans en Anneke. Lex staat een beetje stuurloos midden in de kamer en zwijgt. Verwer neemt het woord: 'Ja, weet u, meneer, ik heb de jongeheer vanmiddag op school gevonden. Daar had hij zich verstopt. Ik heb hem mee naar mijn huis genomen en hem vanavond achter op de fiets hierheen gebracht, want hij noemde uw naam als iemand die hem verder zou kunnen helpen. Maar nu moet ik naar huis, want de avondklok gaat over een half uur in.'
Hij geeft Lex een hand en zegt: 'Nou, jongeheer, het beste dan maar.' Lex stamelt een bedankje, maar Verwer wimpelt het af. 'Ik zal hier maar niks over tegen meneer Van Dorp vertellen', zegt hij. Lex kleurt en bedankt verlegen nogmaals de conciërge. Meneer Smit brengt Verwer naar de overloop en blijft nog even met hem praten.

‘Toe, ga nou zitten’, zegt mevrouw Smit. ‘Er is nog koffie. Wil je koffie?’
Lex gaat zitten, zijn handen tussen zijn knieën en kijkt naar de grond. ‘Nee, dank u’, fluistert hij.

*

En dan moet hij vertellen. Hij is eigenlijk gauw klaar. Hoe hij op het idee kwam om zich op het gymnasium te verschuilen, totdat hij zeker wist dat zijn ouders en zusje veilig weg waren. Hoe hij het gebouw was binnengekomen, hoe hij een schuilplaats op de zolder had gemaakt, hoe hij zijn leeftocht had geregeld. En dat hij van plan was om op een gegeven moment gewoon naar huis te gaan, naar meneer Van den Assem. Omdat hij met alle geweld zijn school wilde afmaken en naar de universiteit gaan. Hans kijkt Lex bewonderend aan. Wat een lef heeft zijn vriend gehad!
Als Lex zijn verhaal heeft verteld, blijft het even stil. Smit wisselt een blik met zijn vrouw. Dan kucht hij, verzamelt kennelijk moed om iets te gaan zeggen.
‘Je moet nu even goed luisteren, Lex’, zegt hij. ‘Het is niet allemaal zo gelopen als iedereen wel heeft gewild. Er is tegenwoordig niemand meer in jullie huis. Van den Assem is verdwenen. Hij is niet teruggekomen van die rit naar de grens, en de auto ook niet.’
Lex voelt zijn hart in zijn keel kloppen. ‘Maar…’, stamelt hij. ‘Mijn ouders en Deborah dan? Waar zijn die?’
Niemand zegt iets. ‘Ze zijn toch wel gevlucht?’dringt Lex aan.
‘We weten het niet’, zegt Smit. ‘Ja, ze zijn vertrokken, zoveel is

wel duidelijk. Maar ik ben bang...,' hij slikt even iets weg en vervolgt: 'eh... bang dat ze... het niet hebben gehaald. Je vader heeft nog steeds niets van zich laten horen, zoals hij had beloofd. Ik heb hem even de tijd gegeven, maar toen ik na een week nog niets had gehoord, heb ik het adres in Basel aangeschreven. Vandaag kreeg ik antwoord. Ook daar waren ze erg ongerust: de familie was niet in Zwitserland aangekomen. Ik vrees... dat ze in Duitsland zijn opgepakt. En je kunt dus echt niet terug naar je huis, want dat wordt door de Duitsers in de gaten gehouden. Ze wachten je op, want ze weten natuurlijk dat jij er niet bij was toen ze de anderen... eh... arresteerden. Hans is er een paar keer langs gefietst en heeft heel voorzichtig een beetje rondgekeken. Er zaten twee mannen in een auto schuin tegenover jullie huis. Duitse politie, dat is wel zeker. Nee, daar kun je dus echt niet meer heen.'

*

Lex heeft als verdoofd naar Smit geluisterd. De vlucht is mislukt, hij weet het diep in zijn hart zeker. Zijn ouders, zusje en meneer Van den Assem zijn opgepakt. En hij is alleen en kan nergens meer heen. 'Nee', zegt hij vertwijfeld. 'Nee... dat kán niet! Dat mág niet!'

De anderen weten niet wat te zeggen. Hans doet een poging de ontredderde jongen op te beuren. 'Misschien zijn ze ergens blijven steken. Hebben ze pech gehad of zo. Misschien komen ze alsnog in Basel aan en dan neemt je vader vast wel contact op.' Smit kijkt zijn zoon aan en schudt zwijgend zijn hoofd. 'Niet doen', zegt hij zacht. Hans zwijgt.

Lex probeert kalm te blijven, maar het lijkt alsof de wereld om hem heen in elkaar stort. Er is geen houvast, geen uitweg. Wat moet hij nu? Naar zijn huis kan hij niet meer, dat begrijpt hij wel. Maar wat dan, wat dan?
'Luister, Lex', zegt Smit. 'Je snapt ook wel dat er iets moet gebeuren. Zó kun je niet verder. Blijf hier maar een paar nachten slapen. Achter de winkel is een kantoortje waar we een veldbed kunnen neerzetten. Maar je kunt hier niet lang blijven, dat is veel te gevaarlijk. Ze weten vast dat Hans en jij vrienden zijn, in elk geval dat je hier regelmatig komt, en anders komen ze daar wel achter. We moeten een veilige plek voor je vinden. Geef me even de tijd om een oplossing te bedenken.
Lex knikt, maar hij begrijpt nauwelijks wat meneer Smit tegen hem zegt. Het enige waaraan hij kan denken, is zijn familie en meneer Van den Assem. Opgepakt. Gearresteerd. In een Duitse gevangenis. Misschien al... Hij huivert bij de gedachte.
'Kom,' zegt mevrouw Smit en ze staat op, 'we gaan eerst slapen. Anneke, Hans, vooruit. En loop jij maar met mij mee naar beneden, Lex, dan zal ik je wijzen waar je kunt slapen. Je bent hard aan wat rust toe, denk ik.'
Lex staat als een robot op, neemt zijn koffer en zijn rugzak en volgt mevrouw Smit willoos. Hij zegt niet eens welterusten. Hij zegt helemaal niets.
Smit, Anneke en Hans blijven in de huiskamer achter. 'Hoe moet dat nou verder met Lex?' vraagt Hans aan zijn vader. Die zucht. 'Ik weet het nog niet. Maar dat hij zo snel mogelijk uit Amsterdam weg moet, is wel zeker. Kom jongens, naar bed.'
Die nacht wordt er heel slecht geslapen en lang wakker gelegen

in huize Smit.

*

'Je weet natuurlijk best dat je onverantwoordelijk hebt gehandeld door zonder overleg je eigen weg te gaan', zegt meneer Smit. Lex knikt. Ja, dat realiseert hij zich onderhand wel. Ze zitten de volgende middag tegenover elkaar aan de eettafel in de huiskamer. Mevrouw Smit en Anneke zijn boodschappen gaan doen, Hans is gevraagd zolang op zijn kamer te gaan zitten en vraagt zich daar af hoe het nu verder moet met Lex.
'Maar anders...,' stamelt Lex, 'had ik mijn school niet kunnen afmaken en niet kunnen gaan studeren.' Hij verliest terrein, hij voelt het.
Smit zucht. 'Het is de vraag nog maar of je dat nu wel kunt gaan doen. Ik denk het eerlijk gezegd niet. Jij kunt je niet langer buiten vertonen en zeker niet meer naar het gymnasium. Er wordt op je gejaagd, jongen, wees daar zeker van. En wij nemen hier een enorm risico door je te verbergen, vergeet dat ook niet. Je bent nu eenmaal Joods en het begint nu overal bekend te worden dat de Duitsers geen genade zullen hebben met Joden. Ook in Nederland niet.'
Nee, als Lex even nadenkt, ziet hij de situatie nu ook wel duidelijk. Hij zit klem. Zijn plannen voor de toekomst liggen in duigen. Waar moet hij heen? Wat moet hij gaan doen? Hier blijven kan niet, hij zou de familie Smit alleen maar tot last zijn en ze bovendien in gevaar brengen. Naar huis kan hij ook niet, daar loopt hij een grote kans om te worden opgepakt. Hulpzoekend kijkt hij

meneer Smit aan.
'Er is wel een oplossing', zegt deze, 'Maar die is niet gemakkelijk. Je moet uit Amsterdam verdwijnen. Onderduiken. Totdat de Duitse bezetting voorbij is – en wie weet, duurt die nog wel een jaar of twee – zul je je schuil moeten houden. Je zult eraan moeten wennen dat je leventje zoals je dat tot nu toe hebt geleefd voorbij is.'
'Maar waar moet ik dan heen?' vraagt Lex wanhopig.
'Er zit niets anders op dan naar een zo veilig mogelijke plek in de provincie te gaan', antwoordt meneer Smit. 'Misschien weet je het niet, maar ik heb totdat ik trouwde, al weer bijna twintig jaar geleden, in de provincie Drenthe gewoond. In een veendorp, Valthermond, niet ver van Emmen. Daar heb ik nogal wat familie met wie ik nog steeds een goed contact heb. Vanmorgen heb ik mijn broer getelegrafeerd en hem de zaak uitgelegd. Hij is bereid om je een schuilplaats te bieden. Je moet zo snel mogelijk naar Drenthe; ik zal je met de auto brengen.'
Lex weet niet wat hij moet zeggen. Hij beseft absoluut nog niet hoe de toekomst er voor hem uit zal zien. Zijn hele wereld staat op z'n kop. Drenthe? Hij is er zelfs nog nooit geweest. En bij onbekende mensen in huis? Hij realiseert zich op dit moment alleen dat hij aan een heel nieuw leven zal moeten gaan beginnen.

5

Valthermond

Lex leunt op zijn schoffel, recht zijn rug en knippert tegen de zon. Het is begin september 1942, maar in Valthermond dienen zich de eerste tekenen van de herfst al aan. De aardappelakkers achter de boerderij van Geert Smit aan het Zuiderdiep liggen te blakeren in de nog steeds hete zomerzon. Veel boeren in dit langgerekte veendorp verbouwen aardappels en toen Lex hier pas was, heeft hij zich afgevraagd wie die aardappels allemaal moesten opeten. Maar Geert, een rustige, bonkige zestiger had gezegd: 'Nee, mien jong, dai eerappels binnen bestemd veur de febrieken. Doar mokken ze er eerappelmeel van en dat wordt veur veul dingen in de industrie gebruukt,' en hij had een aardappelplant uit de grond getrokken en Lex het donkerbruine, grove knolgewas laten zien. 'Dai zallen die nait best smoaken!' voegde hij eraan toe.
In het begin heeft Lex nauwelijks een woord verstaan van het dialect dat ze hier spreken. Drents is het niet, het lijkt meer op Gronings en het heet veenkoloniaals, heeft meester Van Klinken hem verteld. Nu, na een dikke twee jaar in Valthermond, verstaat Lex het heel aardig, maar hij weet dat vrijwel iedereen hier ook gewoon Nederlands spreekt.
De meester is het hoofd van de Gereformeerde School 49 aan het Zuiderdiep en een vriend van Geert Smit. Hij zit vaak avondenlang met Geert te praten, die vrijgezel is en zijn boerderij drijft

met behulp van een los-vaste knecht uit het dorp, maar die houdt zich op het ogenblik vaak schuil, omdat hij bang is naar Duitsland te worden gedeporteerd om daar te werken. Een vrouw uit het dorp komt het huis schoonhouden, doet de was en strijkt. Koken doet Geert zelf en dat kan hij heel aardig, heeft Lex gemerkt.
'Dit is Lex, ain neef van mie uut Amsterdam', heeft Geert hem destijds aan meester Van Klinken voorgesteld. 'Hij komt oans een beetje helpen.'
Meester had Lex enige tijd aandachtig aangekeken. 'Ain neef, hè?' had hij gezegd, 'doar hest doe mie nooit eerder wat van verteld.'
Geert had gezwegen. Er plooide zich een trage glimlach om zijn mond. 'Och joa', zei hij traag. 'Ain mins vertelt nait oaltijd alles aan ain ander.'
En er was bij beide vrienden een veelbetekenende stilte gevallen, waarin ze een slok van hun surrogaatkoffie namen. Lex had er genoeg van verstaan om te begrijpen dat veel mensen in Valthermond best weten waarom hij hier is. Zijn dekmantel, de evacué uit Amsterdam, die zijn oom in diens bedrijf komt helpen, is natuurlijk flinterdun. De situatie in Amsterdam is in augustus 1940, toen Lex hierheen is gekomen, helemaal niet zo slecht en waarom zou een Amsterdamse jongeman zich hier op het Drentse platteland komen begraven? Dat hij een onderduiker is, weten ze hier wel, beseft hij en hij voelt er zich nogal ongemakkelijk bij. Weten ze dat hij Joods is, dat hij zich hier verbergt voor de Duitsers? En lopen er hier geen mensen rond die hem zouden kunnen verraden? Iedereen kent elkaar immers.

*

Meneer Smit heeft hem, drie dagen nadat hij door conciërge Verwer in het gymnasium was ontdekt, in zijn autootje weggebracht. Valthermond, in Zuidoost Drenthe, blijkt een langgerekt veendorp te zijn, met twee parallel lopende kanalen, het Noorderdiep en het Zuiderdiep en rechte zijkanalen die het dorp in zogenoemde veenplaatsen verdelen. De 96 veenplaatsen zijn vanaf het oosten genummerd, te beginnen bij plaats 1, waar de beide kanalen samenkomen en overgaan in het Kavelingendiep, richting het Groningse Musselkanaal – waar de vervening destijds is begonnen – en zo verder oplopend naar Valthe in het Zuidwesten, dat op de Drentse Hondsrug ligt. Het is in Valthermond nog steeds gewoonte om het plaatsnummer te noemen als men naar een bepaalde plek in het dorp wil verwijzen.
Tussen de twee diepen werden woninkjes en keten gebouwd waar de veenarbeiders in huisden. Er kwamen later ook neringdoenden wonen en zo werd er in 1853 een streekdorp gesticht op de steeds verder afgegraven veengrond. Het veen is op die plek tegenwoordig bijna allemaal verdwenen en de turfwinning nadert langzamerhand zijn onafwendbare einde. Aan de buitenkant van de beide vaarten zijn boerderijen gebouwd, veelal gemengde bedrijven, maar wat de akkerbouw betreft, worden er vooral rogge, suikerbieten en fabrieksaardappelen verbouwd.
De boerderij van Geert Smit is niet groot. Er is een woonhuis, een voorraadschuur, een kleine stal waarin een paar varkens worden gehouden en een machineberging.
Lex geeft hem een hand en zegt: ‘Dag meneer.’

'Ik ben gain meneer, hier zeggen de minsen gewoon Geert tegen mie'.
'Eh... dag Geert', zegt Lex. De man glimlacht rustig naar hem en Lex voelt zich meteen op zijn gemak.
Wel heeft hij moeten wennen aan het dorp; het is zo heel anders dan de stad waarin hij opgroeide. Geert heeft hem op het hart gedrukt zich een beetje onzichtbaar te houden, omdat het niet zonder gevaar zou kunnen zijn om frank en vrij in het dorp te gaan rondlopen. De mensen hier weten toch al dat er bij Geert Smit een 'neefje' uit Amsterdam is komen wonen. Dat woord wekte soms wat verwarring, omdat ze hier tegen een vlieg 'mug' zeggen en tegen een mug 'neefje'.
Lex heeft een kamertje boven de machineberging gekregen. Niet groot, er staat een bed, een kastje, een tafel en een stoel. Maar veilig is het wel en voor hem comfortabel genoeg. Hij heeft er ook niet veel aandacht aan besteed, want de eerste dagen is hij nog steeds een beetje verdoofd door het afschuwelijke nieuws over zijn familie, waarvan nu vrijwel zeker is dat ze in Duitsland zijn opgepakt en waarvan het lot onbekend is.

*

Lex vreest het ergste. Dat komt ook door de brieven die de vader van Hans af en toe naar zijn broer stuurt. Het nieuws daarin is vooral voor Lex bestemd, maar veiligheidshalve richt meneer Smit de brieven aan Geert. Het nieuws is niet vrolijk. De pikzwarte wolken die boven de Joden in Nederland hangen, trekken zich samen: al in januari 1941 kwam er een registratieplicht, artsen moesten opgeven of ze Joods bloed hadden of niet, er kwamen in februari razzia's in Amsterdam en later in andere steden. De bewegingsvrijheid van Joden werd beperkt, ze moesten hun radio's inleveren en Joodse kinderen moesten naar aparte Joodse scholen. De laatste brief meldt dat openbaar onderwijs voor Joden in januari 1942 wordt verboden. Eerder al waren drie leraren en een lerares van het gymnasium van Lex en Hans ontslagen omdat ze Joods waren. Ook worden er Joden vanuit Amsterdam naar Nederlandse werkkampen gevoerd.

Lex heeft zich nooit zo bezig gehouden met zijn Jood-zijn, maar nu begint hij te beseffen dat hij tot een groep hoort die aan alle kanten wordt vervolgd en die alles wordt ontzegd. Het slechte nieuws maakt hem steeds somberder, vooral over het lot van zijn ouders en zusje. Hij begint te begrijpen dat er voor Joden in Nederland geen uitweg meer is.

Hij praat er veel over met meester Van Klinken. Die heeft zich zo'n beetje over 'dai neefie uut ´t westen' ontfermd. Ten slotte is hij pas zeventien, is hij zijn leven niet zeker – want meester Van Klinken beseft heel goed dat de bezetter verbeten op de Joden jaagt – en is hij zo goed als stuurloos. De oudere man besluit zich het lot van de jongen aan te trekken. Lex heeft hem van zijn plannen verteld: gymnasium afmaken, universiteit en een glansrijke carrière. Hij ziet die plannen nu als rook vervluchtigen en daar weet hij geen weg mee.

'Jong, doe most goud begriepen...,' begint hij en gaat dan in het Nederlands over. 'Je moet die plannen van je bijstellen. De bezetting is er tussen gekomen en wat je wilde, gaat nu niet meer lukken.'

'Maar de oorlog zal toch over een paar maanden wel afgelopen zijn? Dan kan ik...'
'Dat dachten we in mei 1940 ook en nu is het twee en een half jaar later. Nee, Lex, die oorlog is over een paar maanden niet afgelopen, kijk maar naar de successen van Hitler.'
'Maar wat moet ik dan?' vraagt Lex wanhopig. 'Ik ben al hopeloos achter met school! Dat haal ik nooit meer in!'
'Je bent zeventien. Nou ja, bijna achttien, maar ook dat is nog jong. Zelfs als je na de oorlog...'
Meester Van Klinken zwijgt. Hij realiseert zich dat hij onmogelijk kan voorspellen wanneer de bezetting voorbij zal zijn. En als Duitsland deze oorlog wint, zal de toekomst er voor Lex heel erg somber uitzien.
Lex beseft dat ook en zwijgt verslagen.

*

Toch weet meester Van Klinken de jongen op te beuren. Van op het land werken is voor Lex alleen maar in naam sprake. Voor de vorm laat Geert hem af en toe wel eens wat schoffelen of andere kleine karweitjes doen. Hij helpt met koken, schilt aardappels en maakt groente schoon. Maar Lex is natuurlijk allesbehalve een boer en bovendien mag hij zich zo weinig mogelijk laten zien van Geert. Hij heeft vrije tijd te over en weet niet hoe hij die zal vullen. Maar meester Van Klinken heeft hem ertoe kunnen bewegen zijn studie weer op te pakken.
'Ik zal je wel helpen, voor zover ik dat kan. Ik ben natuurlijk maar een gewone dorpsonderwijzer, maar ik zal je iets verklap-

pen: ik heb destijds ook vijf jaar gymnasium gedaan.'
Daar kijkt Lex van op en hij krijgt gaandeweg vertrouwen in de meester. Voortaan zitten ze twee avonden in de week bij elkaar – meer tijd kan er niet af, want meester Van Klinken heeft natuurlijk ook zijn gewone werk op school. Maar in elk geval probeert hij Lex de kennis bij te brengen die bij hem wel wat is weggezakt, maar die steeds meer naar boven komt naarmate hij langer met de jongen werkt. Hij krijgt er ook steeds meer plezier in, haalt zijn eigen schoolboeken weer tevoorschijn, blaast het stof eraf en zit soms uren te studeren.
'Waarom bent u niet verder gegaan na het gymnasium?' heeft Lex eens gevraagd.
'Ik zat met een soortgelijk probleem als waarmee jij nu zit. Het was destijds toch al een bijzonderheid dat de zoon van een kleine winkelier naar het gymnasium ging, helemaal in Assen. Maar mijn vader had zich in zijn hoofd gezet dat ik later een belangrijk man zou worden, iemand op wie het hele dorp trots zou zijn. Ik was enig kind en mijn ouders ontzegden zich alles om mij te kunnen laten doorleren.
En toen overleed vader heel onverwacht. Ik heb mijn studie afgebroken en ben hier in Valthermond gaan lesgeven, want er moest toch geld op tafel komen. Dat kon toen nog, zonder allerlei ingewikkelde procedures; ik viel in voor een langdurig zieke onderwijzer. Later heb ik nog wat diploma's gehaald, ben op School 49 blijven hangen en werd schoolhoofd. Zo zie je: bij jou is het de oorlog, bij mij was het de plotselinge dood van mijn vader. Wie weet wat er nog voor jou in het vat zit...'
Lex heeft er een vrij hard hoofd in.

*

Bij meester Van Klinken heeft Lex ook diens dochter Geesje ontmoet. Een vrolijke, blonde meid van achttien. Een móóie meid, vindt Lex. Klein, maar goed geproportioneerd, met uitgesproken vrouwelijke rondingen, een paar helderblauwe ogen en kleine, sierlijke handen. Ze werkt bij een bedrijf in landbouwmachines in Ter Apel en ze heeft Lex eens verteld dat ze daar een soort bedrijfsleidster is: ze doet de kas, maakt afspraken voor de directie en de vertegenwoordigers, verzorgt zelfs de publiciteit en helpt overal waar dat nodig is. Ze heeft veel plezier in haar werk. Of ze op den duur in de directie wil komen, wil Lex weten.
'Ach nee, die ambitie heb ik helemaal niet. En ik heb alleen maar meisjes-HBS, dus dan zou ik toch wat verder moeten studeren. Maar voorlopig heb ik hier m'n handen vol aan. Ik denk nog maar even niet verder.'
Vreemd, vind Lex. Als je achttien bent, heb je toch toekomstplannen, wil je toch vooruit in de wereld? Maar Geesje vindt het wel best zo.
Hij heeft nooit durven vragen of ze een jongen heeft en ook niet waar mevrouw Van Klinken is. Geert heeft hem later verteld dat die is gestorven toen Geesje tien was. Meester Van Klinken is nooit hertrouwd en Geesje zorgt voor haar vader en het huishouden. En die jongen? Geert weet wel bijna zeker dat ze niet met iemand vrijt. En hij lacht daar een beetje bij.
De voedselvoorziening wordt slechter in het dorp. Er bestaat een distributiesysteem, met bonnen die je moet inleveren om dingen

te kunnen kopen. Maar de dorpelingen hadden altijd al wintervoorraden aangelegd, hoewel hamsteren officieel verboden is; daar trekt men zich echter niet veel van aan. Duitsers zie je hier ook eigenlijk nauwelijks. Dat komt ook al doordat Valthermond niet zo goed bereikbaar is: al in 1940 zijn de belangrijkste bruggen door Nederlandse militairen opgeblazen. Men redt zich in het algemeen wel. De mensen verbouwen zelf tabak en koolzaad voor de olie; iedereen heeft wel een clandestien oliepersje op de vliering staan. Aardappelen zijn ook geen probleem: de controleurs die komen kijken of men niet clandestien voedsel verbouwt of illegaal slacht, knijpen vaak een oogje dicht en zien trouwens vaak ook niet dat er consumptieaardappelen tussen de fabrieksaardappelen worden verbouwd. De laatste worden trouwens sinds kort gekeurd voor consumptie; 'schone eerappels', zeggen ze hier. Het valt wel mee in Valthermond. De mensen kunnen bij boeren en bakkers nog wel eens iets regelen en ze kunnen zelf boter karnen. Brandstof wordt steeds moeilijker, maar er is nog steeds turf, hoewel de vervening rond Valthermond inmiddels zo goed als gestaakt is. Er wordt 's nachts heimelijk, maar wel regelmatig, turf gestoken, waardoor men minder brandstofbonnen nodig heeft en die kan men dan weer aan andere zaken besteden. Het is wel behelpen, maar het gaat tot nog toe redelijk.

*

Op een donderdagavond meldt Lex zich zoals gewoonlijk bij meester Van Klinken, voor zijn lessen. Maar de meester is er niet, alleen Geesje is thuis.

‘Vader moest onverwacht naar een vergadering. Hij vroeg me om te kijken of je morgen kunt.’ Want meester Van Klinken is een nauwgezet man.
‘Ik heb immers niks anders te doen.’ Het klinkt een beetje triest.
‘Het moet niet gemakkelijk zijn om je zo schuil te houden.’
‘Nee…’
‘Eh… Ik weet niet of ik het mag vragen, maar… wat is er met je familie?’
Lex kijkt haar aan. Ze is bezorgd, ziet hij. Om hem. Hij moet iets wegslikken, de tranen zitten hem hoog. Nou niet gaan huilen, schiet het door hem heen. Alsjeblieft niet gaan huilen! Mannen huilen niet en hij is bijna achttien. Maar hij kan er niets aan doen, buigt zijn hoofd en laat zijn tranen de vrije loop.
Dan voelt hij twee warme armen om zich heen. ‘Stil mor, mien jong. Is´t zó aarg? Ik had het niet moeten vragen’, gaat ze in het Nederlands verder.
Lex heft zijn hoofd op en snuft. Hij zoekt in zijn zak.
‘Hier! ’t Is een schone.’ Ze duwt hem een zakdoek in zijn hand.
‘Neem me niet kwalijk. Ik heb… Ik wilde niet…’
Ze legt een troostende arm om zijn schouders. ‘Geeft niet. Huilen is goed voor je. Vertel maar. Tenzij je niet wilt.’
Maar hij wil wel. Het hele verhaal gooit hij eruit. De voorbereidingen voor de tocht naar Zwitserland. Het stelen van het geld, zijn haastige vlucht en het zich schuilhouden op de zolder van het gymnasium. De ontdekking. Erachter komen dat er niets meer van zijn ouders, Deborah en meneer Van den Assem was vernomen. Dat ze van de aardbodem verdwenen leken te zijn. De martelende onzekerheid die altijd bij hem is. Niet kunnen slapen

en maar liggen te piekeren.
Geesje luistert aandachtig. Als hij uitverteld is, zwijgt ze, strijkt troostend een lok haar van zijn voorhoofd.
'Misschien is het wel goed dat je niet met je ouders en je zus bent meegegaan. Jij bent in elk geval veilig.'
'En de NSB'ers in het dorp dan? Ze weten dat ik hier zit.'
De Nationaal-Socialistische Beweging bestaat al een tijdje, officieel sinds 1932. Sinds de beweging, onder leiding van Anton Mussert, na het uitbreken van de oorlog onvoorwaardelijk de kant van Duitsland heeft gekozen, werkt ze openlijk samen met de bezetters. In 1941 werden alle politieke partijen behalve de NSB verboden.
Valthermond bestaat uit twee kampen: een groot zonder en een kleiner met NSB'ers. Iedereen weet wie bij welk kamp hoort en vooral: wat je wel en niet tegen iemand kunt zeggen. Soms zitten er binnen één familie voor- en tegenstanders van de NSB en dat levert op verjaardagen nogal eens ruzie op. Iedereen – ook de NSB'ers – weet waar in Valthermond onderduikers zitten, maar daar wordt alleen in zeer kleine kring over gepraat. De sociale controle in Valthermond is erg groot en de NSB'ers, die zich hier vooral om economische redenen bij de partij hebben aangesloten, zullen zich wel tweemaal bedenken voordat ze zich de woede van het dorp op de hals halen door een onderduiker te verraden.
'Die houden zich wel koest', weet Geesje.
'Ik hoop het', zegt Lex. 'Het zijn antisemieten. Net als de Duitsers.'
'Die rótmoffen!' scheldt Geesje. Op de een of andere manier doet dat Lex goed.

*

In die tijd werd er nog niet openlijk over de verschillen tussen mannen en vrouwen en al helemaal niet over seks gesproken. De voorlichting aan de jeugd was mondjesmaat. Lex' vader was wat vooruitstrevender; toen zijn zoon naar het gymnasium ging, had hij hem bij zich geroepen en hem een boekje gegeven: 'Wat iedere jongen moet weten' door dr. L.A. Leguit.

Lex had het boekje met rode oren gelezen. Niet dat er nu zo veel spannends in stond. De doctor draaide nogal om de hete brij heen en noemde nergens man en paard. Toch was het wel duidelijk dat de anatomische verschillen tussen man en vrouw te maken hadden met voortplanting. 'Gij knapen doet er goed aan met Uw handen boven de lakens te slapen!' vermaande Leguit en pas later kwam Lex er achter waarom de doctor dat had aanbevolen.

Inmiddels leerde hij meer van gesprekken met zijn schoolgenoten dan van het hele boekje. En toen op een goede dag de leraar biologie Thijssen het besluit nam om de klas maar eens voor te gaan lichten – zij het dan ook in nogal omsluierde bewoordingen – werd hem nog meer duidelijk. Thijssen werd trouwens streng berispt toen rector Van Dorp het schandelijke gedrag van de leraar had vernomen.

Maar Lex is natuurlijk een normale, gezonde jongen wiens hormonen al een tijdje druk in de weer waren. Zo had hij zijn fantasieën over Betty de Rijk gehad en nu heeft hij ze over Geesje van Klinken. Ze had immers haar armen om hem heen geslagen en hem gestreeld. Zou ze ook verliefd zijn op hem, net als hij op haar? Na lang dubben neemt hij een besluit. Hij is zeventien, bijna achttien. En verliefd. Diezelfde avond stapt hij naar het huis van meester Van Klinken.

Geesje doet hem open. 'Hee!' zegt ze verbaasd. 'Dit is toch niet je lesavond? Vader is er niet, hoor.'

'Lex voelt zijn hart in zijn keel kloppen. 'Nee… Ik kom ook voor jou', zegt hij een beetje schor. Ze zegt niets, trekt alleen haar wenkbrauwen op.

'Ja, het zit zo…' Hij moet even slikken, maar vermant zich.

'Ik ben… Ik wilde je vragen: wil je m'n meisje zijn?' Zo, het is eruit. En nu? Zal ze gaan lachen? Wordt ze boos? Geesje zegt nog steeds niets, maar kijkt hem peinzend aan. Dan knikt ze.

'Ik wil wel dien wichie wezen', zegt ze en Lex verstaat haar opperbest. Een gevoel van diepe vreugde welt in hem op. Ze wil hem wel! Hij doet een stap naar voren, slaat zijn armen om haar heen. Geesje lacht.

'Gek,' zegt ze, 'waarom heb je dat niet eerder gevraagd?'

'Toen ik je vertelde… over mijn familie en zo… Je sloeg je arm om me heen en je was zo lief… Toen wist ik, nou ja…'

Ze lacht opnieuw, legt haar armen om zijn nek en trekt hem naar zich toe. Hun lippen raken elkaar en Lex krijgt voor het eerst in zijn leven een zoen van een meisje op zijn mond. Zijn moeder heeft hem natuurlijk wel eens gekust. En toen hij door meneer Smit naar Valthermond werd gebracht, hebben mevrouw Smit en Anneke hem ook een kus gegeven. Maar op zijn wang, niet op zijn mond. Op een verjaardag heeft hij wel eens aan een spelletje meegedaan en een meisje gezoend, maar dat was maar heel vluchtig en de kus kwam naast haar oor terecht. Nu heeft hij een meisje dat hem écht kust. Houdt ze van hem? Is ze eigenlijk verliefd op hem of heeft ze alleen maar medelijden? Lex besluit het niet te vragen. Hij heeft een vriendinnetje.

*

Ze zitten hand in hand aan de kant van de wijk naast het land van Geert Smit; een wieke, zeggen ze hier. Lex kan er nog steeds niet over uit. Zó gemakkelijk is het gegaan. Je hoeft alleen maar aan een meisje te vragen of ze verkering met je wil hebben en ze zegt ja. In dit geval tenminste. Sinds die avond hebben ze elkaar bijna elke avond wel even gezien. Meester Van Klinken ziet de omgang van zijn dochter met de onderduiker uit Amsterdam met enige bezorgdheid aan. De verschillen tussen beiden zijn erg groot. Grote stad in het westen en klein dorp in het noorden; de mentaliteit is heel anders. Hij kent zijn dochter: ze trekt zich onmiddellijk het lot aan van iedereen die het moeilijk heeft. Hij praat erover met Geert Smit, maar die wuift zijn bezwaren weg: 'Ze binnen nog jong en het is goud veur de jongeluu. Lot ze mor, dat gait wel weer over.'
Van Klinken schudt zijn hoofd en denkt er het zijne van.
Lex is gelukkig. Een meisje waarmee hij eindeloos kan praten, aan wie hij zijn gedachten en zijn zorgen kwijt kan. Ze praten inderdaad veel met elkaar. Geesje probeert hem op te beuren: als de oorlog voorbij is, zullen zijn ouders en zuster vast weer uit Duitsland terugkeren, hij zal het zien.
'Voorlopig zijn ze van de aardbodem verdwenen en niemand weet waar ze zijn of hoe het met hen gaat.'

‘Je moet een beetje vertrouwen hebben. Ze komen vast wel terug. En de oorlog duurt vast niet zo lang meer.’
Maar het is eind 1942 en wat ze niet weten, is dat het nog tot april 1945 zal duren voordat Valthermond wordt bevrijd en dat Amsterdam eerst nog de Hongerwinter van 1944 moet doorstaan, voordat de bevrijders op 5 mei 1945 de stad binnen zullen trekken.
Ook Valthermond zal zijn deel van de bezetting nog krijgen. De Duitsers gaan huiszoekingen houden, naar onregelmatigheden en illegaal slachten. Radio’s moeten worden ingeleverd, maar er zijn dorpelingen die hun radio verstoppen, zodat men toch het oorlogsnieuws kan blijven volgen.
En dan zal begin 1944 de Landwacht komen: een Nederlandse paramilitaire organisatie van NSB’ers die met jachtgeweren zijn uitgerust en daarom door de bevolking voor ‘Jan Hagel’ worden uitgescholden. De Landwacht speelt de baas in het dorp en Lex moet zich eens te meer in een hol onder een berg aardappelloof verstoppen om hun aandacht niet te trekken als ze in het dorp patrouilleren. Op dit moment mag dan wel de warme septemberzon op Valthermond schijnen, maar er zullen de komende jaren nog donkere schaduwen over het dorp trekken.

*

Maar op dit moment is het ogenschijnlijk rustig in Valthermond. Geesje leunt tegen Lex aan en speelt met een grashalm. Hij heeft een arm om haar heen geslagen en kijkt op haar blonde hoofd neer.

'Geef je een beetje om me?'
Ze kijkt hem lang aan. 'Ik geef hail veul om die.'
'Praat gewoon.'
'Doe ik toch? Zo praten wij hier nu eenmaal. En het is een mooi dialect, vind ik.'
'Ja, vast wel. Maar ik versta lang niet alles en ik kan het niet spreken.'
'Hoeft ook niet. Hou jij je maar bij je Latijn. Hoe zeg je: "Ik geef heel veel om je" in het Latijn?'
'Dat zeg je niet in het Latijn.'
'Zeiden de Romeinen dat dan niet tegen hun slavinnen?'
Lex begint te lachen. Soms geeft Geesje van die rare wendingen aan hun gesprekken. Hij trekt haar dichter tegen zich aan, kust haar op haar hoofd. Ze wendt haar gezicht naar hem toe.
'Kusje.'
Vertederd kust hij haar lippen, omvat haar steviger, drukt haar zachtjes achterover. Zijn hand glijdt naar haar borst.
'Niet doen, Lex.'
Hij trekt zijn hand terug. 'Ik verlang zo naar je...'
Ze gaat overeind zitten. 'Ik weet het. Ik ook naar jou. Maar we moeten verstandig zijn.'
Lex haalt zijn schouders op. 'Verstandig? Het is toch fijn?'
'Jawel, maar toch moeten we ons hoofd erbij houden. Stel dat ik in verwachting raak.'
'Maar ik zal... heel voorzichtig zijn.'
'Lex, je bent onervaren. Als je jezelf niet in de hand kunt houden, kan er van alles gebeuren.'
Ze kijkt hem aan, streelt zijn wang. 'Heus, ik begrijp het best en

ik zou ook wel… Maar dit is niet het goede moment.'
Ze lacht even. 'En niet de goede plaats ook. Eigenlijk.'
Lex laat haar los en kijkt voor zich uit.
'Teleurgesteld?'
'Ach…'
Ze slaat haar armen om hem heen, kust zijn voorhoofd. 'Stil maar, jongen. Het gebeurt heus nog wel. Op het goede moment en op de goede plaats.'
Een zuster is ze, denkt Lex. Een lieve, zorgzame zuster. Natuurlijk is ze wat ouder dan hij, maar af en toe lijkt ze ook veel wijzer, ervarener. Dan voelt hij zich een klein jongetje bij haar. Maar wel veilig en beschermd. Hij besluit zich bij de situatie neer te leggen. Voorlopig tenminste.

6

Terug in Amsterdam

Nederland kan nu elk moment worden bevrijd. De geallieerden hebben in september 1944 in hoog tempo terrein gewonnen. Op 3 september is Brussel bevrijd en op 4 september Antwerpen. Optimisten rekenen erop dat de geallieerden op 5 september in Rotterdam en de dag erop in Utrecht en Amsterdam kunnen zijn. Het verhaal gaat dat de geallieerden bij Moerdijk en zelfs al in Rotterdam en Den Haag zouden zijn, wat wordt bevestigd door een wel erg voorbarig Brits radiobericht dat meldt dat Breda al bevrijd is. Vlaggen worden van zolder gehaald. Veel Duitsers en NSB'ers slaan op de vlucht.
Maar op dat moment zijn er nog te weinig geallieerde troepen om heel Nederland te kunnen bevrijden. Pas op 14 september 1944 wordt Maastricht als eerste belangrijke Nederlandse stad bevrijd. Maar nadat de slag bij Arnhem eind september door de geallieerden wordt verloren, wordt het duidelijk dat de bevrijding van Nederland nog wel een tijdje op zich zal laten wachten.
Het geldt ook voor Valthermond. Pas op 11 april 1945 komen Poolse militairen uit het dan al bevrijde Emmen via een noodbrug over het Zuiderdiep in Valthermond aan, op weg naar Musselkanaal. Er rijden tanks door Valthermond! De Poolse militairen zwaaien naar de dorpelingen en gooien hen chocolade en sigaretten toe. Nu is ook Valthermond eindelijk bevrijd.
Geert heeft Lex gezegd op zijn kamer te blijven. De NSB en de

Landwacht zijn nog steeds gevaarlijk en iedereen weet dat er bij Geert Smit al sinds 1941 een onderduiker woont. Ook als de bevrijding nabij komt, is het risico te groot. Dus zit Lex zich te verbijten in zijn kamertje boven de machineberging. Pas als de eerste Poolse tank over het Zuiderdiep rijdt, mag hij naar buiten en ziet met kloppend hart hoe de bevrijders langs rijden. Er gaat op dat moment maar één gedachte door zijn hoofd: naar huis!
Maar dat is gemakkelijker gezegd dan gedaan. Amsterdam is op dat moment nog niet bevrijd en Lex zal moeten wachten totdat hij veilig naar de hoofdstad kan terugkeren. En hoe moet hij daar komen? Per trein is vrijwel uitgesloten. Het railnetwerk is zwaar beschadigd en deels vernield. Door de spoorwegstaking van september 1944 heeft er meer dan een half jaar geen trein gereden en het personeel is ondergedoken of voor dwangarbeid afgevoerd. Lex fietst naar Emmen en informeert op het station naar de vervoersmogelijkheden, maar voorlopig zullen er hier geen treinen rijden. Hij zal een andere manier moeten vinden.
Geert raadt hem aan met Jacob Koops te gaan praten. Koops is vrachtrijder en hoewel hij tijdens de bezetting nauwelijks iets te doen heeft gehad, wil hij nu toch zijn ritten weer geleidelijk gaan hervatten. Vooral in het westen van het land heeft hij altijd veel klandizie gehad; misschien kan hij die weer opbouwen. Lex zoekt hem op. Een lange, wat stuurse man. Geen prater, dat is wel duidelijk. Ja, hij zal over een paar maanden wel naar Amsterdam kunnen. Als Koops tenminste benzine kan krijgen.
Of Lex dan met hem mee kan rijden? Koops knikt bedachtzaam. Ja, dat kan wel. Maar Lex moet nog wel even geduld hebben.
Wat dat dan kost? Van de twintig biljetten van vijfentwintig gul-

den die hij destijds heeft gestolen, heeft Lex er nog achttien over, plus wat klein geld. Hij heeft ze aan Geert Smit aangeboden, uit dankbaarheid en als vergoeding voor zijn onderduiken, maar de boer heeft ze geweigerd. Lex zal ze na de oorlog goed kunnen gebruiken, zegt hij en daarmee uit. Ook Jacob Koops wuift het aanbod van Lex weg. Nee, als hij toch naar Amsterdam moet, hoeft Lex niets te betalen. Zo doen we hier niet in Valthermond.

*

Afscheid. Lex heeft er in de euforie van de bevrijding en de voorbereidingen voor zijn terugkeer naar Amsterdam nog niet vaak aan gedacht. Toch komt het onafwendbaar dichterbij. Na vier jaar in de boerderij van Geert te hebben gewoond. Na bijna drie jaar met meester Van Klinken te hebben gestudeerd, na... Na Geesje. Lex voelt een brok in zijn keel komen als hij aan haar denkt. Sinds eind september 1942 hebben ze verkering gehad. De hevige verliefdheid van het begin is in die jaren wel een stuk minder geworden, realiseert Lex zich. Nog steeds zien ze elkaar regelmatig, praten veel met elkaar en zitten hand in hand. O ja, ze is nog steeds lief voor hem, knuffelt hem, luistert naar zijn verhalen en zijn dromen. Maar ze blijft de oudere zuster, die wel veel om hem geeft, maar die niet echt verliefd op hem is, weet hij. En is zijn verlangen om terug te keren niet veel sterker dan zijn verliefdheid? Zou hij willen dat ze met hem meeging naar Amsterdam? Als hij eerlijk is: nee. Geesje is Valthermond, Lex is Amsterdam. Hij zal haar loslaten en dat zal wel even pijn doen, maar het is onafwendbaar.

Met Geert is het afscheid gemakkelijker, hoewel Lex grote moeite heeft om zijn dankbaarheid te uiten, als hij vertelt dat hij binnenkort Valthermond gaat verlaten. Dat iemand vier jaar een vreemde jongen in zijn huis opneemt, hem verbergt en voor hem zorgt, is bijna niet te geloven. Lex weet absoluut niet wat hij moet zeggen, zoekt naar woorden, naar dank. Geert wuift zijn gestamel weg. Mensen moeten elkaar helpen, is zijn credo. En nu wordt het inderdaad tijd dat Lex zijn leven weer gaat oppakken. Zo simpel is dat.

Leven oppakken, ja. Gemakkelijk gezegd. Wat moet hij? Dit jaar wordt hij 21. Terug naar het gymnasium? Meester Van Klinken heeft hem geholpen met zijn studie, maar wist al meer dan een jaar terug ook niet meer hoe hij verder moest. Zijn kennis is weggezakt, hij kan Lex ook niet in alle vakken bijspijkeren. Als het meezit, zal de jongen in de derde klas van het gymnasium opnieuw kunnen beginnen. Als het heel erg meezit in de vierde. Op z'n eenentwintigste! Lex heeft de moed al verloren. Voor hem geen universiteit, geen titel, geen minister. Hij heeft zijn ambities schoorvoetend, maar uiteindelijk definitief bijgesteld. Meester Van Klinken heeft gezegd, toen Lex hem kwam vertellen dat hij terugging naar Amsterdam: 'Zo moet het ook. Daar hoor je thuis. En ik hoop dat ik je in elk geval nog iets heb kunnen bijbrengen. Het komt met jou wel in orde, wat je ook gaat doen.' Dat klinkt dan wel bemoedigend, maar Lex heeft zijn eerste grote teleurstelling in het leven te pakken.

Met Geesje was het minder moeilijk dan hij had gevreesd. Ze knikte, toen hij vertelde dat hij over een paar weken uit haar leven zal verdwijnen. 'Het moest vandaag of morgen gebeuren', zegt ze

stil. 'Ik had me er al op voorbereid. En ik denk dat het goed is zo. Ik zal je erg missen, maar jij hoort hier niet. Ik wel.' Lex neemt haar in zijn armen, kust haar. 'Ik zal je heel vaak schrijven', belooft hij en ze knikt met een glimlach. 'Dat is goed. Ik geef hail veul om die.'
Hij zal haar nooit meer terugzien.

*

Het is zover. Jacob Koops gaat over drie dagen naar Amsterdam. Het is een warme dag laat in augustus als de vrachtrijder het hem komt vertellen. Overmorgen om zes uur zullen ze vertrekken en Jacob verwacht rond tien uur in Amsterdam te zijn. Die dagen gaan als in een droom aan Lex voorbij. Hij verricht de noodzakelijke handelingen: zijn koffer en zijn rugzak pakken, zijn schaarse spulletjes bij elkaar zoeken. Zijn schoolboeken laat hij achter; hij is het vertrouwen in zijn gedroomde carrière nu wel kwijt geraakt. Hij heeft ze aan meester Van Klinken gegeven. Die trok zijn wenkbrauwen op, maar heeft ze stilzwijgend in ontvangst genomen.
Hij heeft meneer Smit geschreven dat hij komt. Afscheid neemt hij de avond voor het vertrek. Van meester Van Klinken, van Geesje, die haar armen om zijn hals slaat en hem teder kust. Van Geert, die hem goedmoedig op z'n rug klopt. Maar Lex is er niet helemaal met zijn gedachten bij. Hij doet wat hij doet op de automatische piloot. Als hij die avond in zijn bed ligt, tollen de gedachten en beelden door zijn hoofd. Wat zal hij tegenkomen in Amsterdam? Hij slaapt die nacht nauwelijks en is blij dat de

morgen aanbreekt. Hij wast zich, kleedt zich aan en probeert weg te sluipen. Maar hij had niet op Geert gerekend. Die is ook allang op en heeft een ontbijt voor hem gemaakt. De geur van gebakken eieren met spek zweeft door de keuken. Ze wisselen niet meer dan een paar woorden.
Buiten klinkt een claxon. ''t Is tijd', zegt Lex haperend. Geert knikt en gaat met hem mee naar buiten. Daar staat de ouderwetse vrachtauto, met Jacob aan het stuur. Lex legt zijn koffer en rugzak in de laadbak en aarzelt. Hij steekt zijn hand uit, maar Geert is hem voor en omhelst hem. Er staan tranen in zijn ogen en ook Lex voelt een enorm brok in zijn keel en slikt, slikt. Haastig klimt hij in de auto. Hij kijkt door het achterraampje. Geert staat daar als een rots, zijn arm geheven in een woordeloze afscheidsgroet. Als ze het Zuiderdiep afrijden, richting Valthe, ziet Lex verderop twee figuurtjes langs de vaart staan: Geesje en meester Van Klinken. Ze zwaaien allebei als de auto langs hen rijdt en Lex zwaait terug. Hij ziet dat Geesje huilt. En dan kan hij zijn tranen ook niet meer inhouden. Achter hem verdwijnt Valthermond. Vier jaar heeft hij er gewoond en nu gaat hij terug naar huis. Maar het geluksgevoel dat hij steeds heeft gehad sinds hij die beslissing heeft genomen, wil nog maar niet terugkomen.

*

Amsterdam ziet er tegelijkertijd vertrouwd en vreemd uit. Ze zijn over de Berlagebrug de stad binnen gereden. Koops moet in de Beethovenstraat zijn en Lex heeft gevraagd hem daar af te zetten. De Amstellaan lijkt er anders uit te zien dan in zijn

herinnering. Stonden hier geen bomen? Wat hij niet weet, is dat de Amsterdammers tijdens de Hongerwinter alles wat brandbaar was hebben afgebroken en weggezaagd, tot de houten blokjes tussen de tramrails toe. In de Beethovenstraat neemt hij afscheid van Jacob Koops en loopt een beetje verdwaasd door de straten. Het is alsof er een stormvlaag door de stad is gewaaid: van de meeste bomen zijn alleen nog wortelstompen over, veel huizen zijn kennelijk leeggehaald en overal ligt rommel op straat. Met een beklemd gevoel loopt hij naar de winkel van de familie Smit. Ook in deze straat afbraak en rotzooi. Maar hij ziet wel van ver al dat de winkel onbeschadigd lijkt. Als hij dichterbij komt, ziet hij dat de etalages leeg zijn en dat er een bordje met 'Gesloten' op de winkeldeur hangt. Met een bezwaard gemoed gaat hij naar de deur van de bovenwoning en belt aan. Zou er wel iemand thuis zijn? Het ziet er zo doods uit.
Maar de deur wordt al opengetrokken. In het vage licht ziet Lex op de overloop een man staan. Een magere man met een baard. 'Lex!' roept de man. 'Kom gauw boven!' Als Lex op de overloop is, ziet hij dat de man niemand anders dan Hans is. Met een volle, blonde baard. En wat ziet hij er slecht uit! Mager, bleek. Lex steekt zijn hand uit en zijn vriend drukt die krachtig en langdurig. 'Verdraaid, Lex!' zegt Hans met een verstikte stem. 'Verdraaid! Dat je er weer bent... En wat zie je er goed uit! Kom gauw binnen!' Hij duwt zijn vriend voor zich uit, de kamer in.
Het lijkt wel een officieel ontvangstcomité dat daar zit: meneer Smit, zijn vrouw, dochter Anneke en... ziet Lex het goed? Ja, het is waarachtig Betty de Rijk! Volwassener, ook vermagerd, maar aan haar ogen herkent hij haar: die helblauwe kijkers zal hij nooit

vergeten, evenmin als het kuiltje in haar wang. Iedereen omhelst hem, ook Betty. Verward kijkt Lex in het rond. Wat is hier allemaal gebeurd in die vier jaar? De winkel leeg en gesloten, iedereen lijkt mager en bleek geworden, en Betty? Zat Betty hier om hém te verwelkomen?

*

'Ik zou je graag een borrel aanbieden, Lex,' zegt meneer Smit verontschuldigend, 'maar alles is nog behoorlijk schaars hier.' Lex haast zich te zeggen dat het helemaal niet nodig is en haalt zijn rugzak van de overloop. Geert heeft hem allerlei etenswaar meegegeven: varkensvlees van de laatste slacht, zelf geperste olie, eigengebakken brood, aardappelen, meel, appels. De familie Smit kijkt de ogen uit. 'Van Geert', zegt Lex. 'Wij hebben het in Valthermond niet erg slecht gehad. De boeren konden veel zelf verbouwen en hebben van alles voor de moffen weggehouden.'
Dan komen de verhalen los over de Hongerwinter. Geen eten, geen brandstof. Meneer Smit en Hans zijn de polder in getrokken om eten te halen, maar de boeren hadden zelf niet zo veel meer; een stoet hongerige stedelingen was de Smits al voorgegaan.
'Toch hebben we het wel weten te redden,' zegt meneer Smit. 'Ik had in de winkel nog veel kleding om te ruilen. Maar het gevolg was dat ik nu bijna helemaal door mijn voorraad heen ben. We moeten opnieuw beginnen.'
'Maar we zijn vrij!' zegt Hans. 'De moffen zijn weg en dat is het belangrijkste!'
Lex vertelt over zijn leven in Valthermond, maar voornamelijk

over Geert en meester Van Klinken. Geesje laat hij onvermeld. En achteraf gezien is er eigenlijk ook niet veel bijzonders gebeurd tijdens zijn onderduikperiode, vindt hij. Het verstoppen in het hol onder het aardappelloof is nog het meest spectaculaire.
'En hoe moet het nu verder met jou?' vraagt mevrouw Smit. 'Terug naar school? Op het gymnasium zou je zo'n beetje opnieuw moeten beginnen.'
'Daar heb ik de moed niet meer voor. Ik zal een baan moeten zoeken. Niet zo gemakkelijk, maar ik vind wel wat.'
Betty mengt zich in het gesprek. 'Misschien kan ik helpen. Ik werk als bedrijfsleidster in een hotel in de Vijzelstraat. Daar verblijven nu vooral Amerikaanse en Canadese officieren en er is ook het een of ander stafbureau gevestigd. Op het ogenblik is er bij ons dringend behoefte aan medewerkers. Baliepersoneel, barmannen, portiers, het zijn geen wereldbanen, maar wel goede opstapjes in de horeca. Je zou zó kunnen beginnen.'
Lex hoeft niet eens zo lang na te denken. 'Het lijkt me een goed begin.' Hij is op de bonnefooi naar Amsterdam gekomen en nu krijgt hij al een baan aangeboden. Een hele opluchting, want eerlijk gezegd, heeft hij zich al een tijdje behoorlijk zorgen over zijn toekomst gemaakt. 'Ik zal het graag proberen.'

*

Lex is moe van de emoties van deze dag. Hij staat op en pakt zijn rugzak, die nu heel wat lichter is dan toen hij bij de familie Smit aanbelde.
'Waar denk je heen te gaan?' vraagt Hans.

'Naar huis. Ik wil eigenlijk naar bed, want ik ben nogal moe. Morgen kom ik wel...'
'Lex,' onderbreekt meneer Smit hem, 'dat weet je nog niet, maar... je kunt niet naar huis.'
Lex kijkt hem verbouwereerd aan. 'Wat is er dan?' Er valt een ongemakkelijke stilte.
'Eh... het is...,' begint Hans, 'het is er niet meer.'
'Is er niet meer? Hoezo? Hoe kan dat?'
'Het is leeggehaald omdat er niemand woonde', legt meneer Smit uit. 'Alle meubelen, alle stoffering, alle schilderijen en kunstvoorwerpen zijn er door de moffen uitgehaald. Later zijn alle brandbare dingen verdwenen, maar toch is er brand uitgebroken of gesticht. Er is nu alleen nog maar een ruïne over. Hans is er pas een week geleden achter gekomen.'
'Ik ben al eerder gaan kijken omdat ik wist dat de moffen er hadden huisgehouden', zegt Hans. 'Ze hebben het huis grondig doorzocht, heel veel dingen meegenomen. Maar dat ik vorige week ontdekte dat het volledig afgebrand is...' Hij zwijgt, kijkt naar Lex. Die staat niet-begrijpend naar de anderen te staren. Zijn huis? Afgebrand?
'Wat moet ik nu?' Zijn huis. Hij heeft er tijdens zijn onderduikperiode veel aan gedacht. De veilige haven, met alle vertrouwde spulletjes, waar hij nu weer zou gaan wonen; zijn ouders en zuster zouden misschien gauw terugkomen. Nu is alles met één klap in elkaar gestort. Hij heeft niets meer.
'Waarom hebben jullie het niet eerder verteld?'
'We weten het zelf nog maar pas', zegt meneer Smit. 'We hebben besloten om het je persoonlijk te vertellen.'

Lex zakt weer in zijn stoel neer. 'Als mijn ouders en Deborah terugkomen...' Meneer Smit legt een hand op zijn knie.
'Lex, je moet er ernstig rekening mee houden dat dat niet gebeurt. Dat ze... omgekomen zijn. Er zijn inderdaad wat mensen uit Duitsland teruggekomen. Ze vertelden over de vernietigingskampen van de Duitsers. Joden zijn daar bij tienduizenden vermoord. Alleen een enkeling is teruggekomen en heeft verschrikkelijke verhalen verteld. Ik heb overal naar je ouders, Deborah en meneer Van den Assem geïnformeerd. Eén man, die het vernietigingskamp Auschwitz in Polen heeft overleefd, meende dat hij je vader en Van den Assem daar had gezien. Een van beiden was stervende. De kans dat je familie terugkomt, is klein, héél erg klein.'
Hij zwijgt.
Lex vermant zich. 'Toch zal ik blijven zoeken en rondvragen. Maar eerst moet ik ergens onderdak zien te vinden.'
'Vannacht kun je natuurlijk wel hier in het kantoortje slapen,' zegt mevrouw Smit, 'maar we hebben geen ruimte om je permanent te huisvesten, hoe graag we het ook zouden willen.'
Lex knikt en zegt dat hij het natuurlijk begrijpt. Hij zal een kamer moeten zoeken.
Dan komt Betty er weer tussen. 'Eh... ik woon in een ruim appartement aan de Bloemgracht. Ik heb daar een vrij grote kamer die ik nooit gebruik. Er staat een bed. Wat mij betreft, zou je daar zolang kunnen wonen. Totdat je iets gevonden hebt.'
Hans begint te lachen. 'Sjonge, Betty! Als jij hier vanavond niet was geweest! Nou heeft die jongen een baan én een kamer!'
Ze zijn allemaal blij dat ze even bevrijd kunnen lachen.

*

'Waarom doe je dit?' vraagt Lex.

Ze zitten in Betty's appartement. Het is inderdaad vrij groot: een flinke huiskamer, een keuken, twee ruime slaapkamers en een klein badkamertje met een toilet. Betty heeft thee gezet. Ze zitten tegenover elkaar aan tafel en drinken van het vocht, dat trouwens niet zo veel met thee te maken heeft. Maar het is in elk geval warm.

'Ach... Ze zitten in het hotel immers te springen om personeel. Veel mensen zijn verdwenen en niet teruggekomen. En deze kamer is toch gewoon vrij? En verder... je hebt een hoop meegemaakt. Vier jaar ondergedoken zitten, ik moet er niet aan denken!'

Lex vertelt maar niet hoe gemakkelijk hij het eigenlijk in Drenthe heeft gehad. 'Nou, het viel wel mee. En jullie hebben hier de Hongerwinter gehad.'

'Ja, dat was ook niet gemakkelijk. Maar ik werkte ook toen al in het hotel. En hoewel het ook daar toen zeker geen vetpot was, schoot er toch nog wel eens wat over.'

Hij stelt de vraag die hem al een tijdje door het hoofd speelt.

'Hoe kom jij hier zo terecht? Ik bedoel: woon je niet bij je ouders?'

'Mijn ouders leven niet meer. Ze zijn omgekomen toen de trein waarin ze zaten, werd gebombardeerd, nu twee jaar geleden. Dit is hun appartement. Sindsdien woon ik er.'

'O, neem me niet kwalijk,' zegt Lex onhandig, 'dat wist ik niet.'

'Dat kon je ook moeilijk weten.' De helblauwe ogen kijken neu-

traal. Lex schuifelt onhandig met zijn voeten.
'Ik heb niet zo veel hoeven te veranderen. Ik heb mijn kamer naar die van mijn ouders verhuisd en daar slaap ik nu. In het begin was het wel moeilijk. Toen het eenmaal... toen er was vastgesteld dat mijn ouders waren omgekomen, heb ik gedaan wat er gedaan moest worden. Ik ben altijd al erg zelfstandig geweest en ik ben praktisch ingesteld. Dat heeft geholpen.'
'Je klinkt er zo... zo koel onder.'
'Tijd heelt alle wonden, zeggen ze.'
'Ja, maar zoiets is toch heel erg ingrijpend?'
'Wie zegt dan dat het niet zo is?' Betty staat op.
'Kom, het is al elf uur. Je bed is opgemaakt. Ik hoop niet dat je het erg vindt om in mijn oude bed te slapen.'
'Nee, natuurlijk niet,' zegt Lex en lacht. 'Luister: ik heb wat geld. Vierhonderdzestig gulden. Dat wil ik je graag geven, als aandeel in de huur. Omdat ik hier zolang mag wonen.'
Betty kijkt hem nadenkend aan. 'Niet nodig. Dit is een koopappartement en mijn ouders hadden de hypotheek vlak voor hun overlijden afgelost. Misschien kom ik er nog wel eens om vragen. In elk geval moet je het geld vóór 26 september gaan omruilen, want dan wordt al het Nederlandse papiergeld ongeldig en komt er nieuw geld. Dat heeft minister van Financiën Lieftinck bedacht.'

*

Lex kan niet slapen. Hij ligt in het smalle bed en de gedachten zwermen door zijn hoofd. Het huis waarin hij met zijn ouders en zuster altijd zo plezierig heeft gewoond en dat nu weg is. Moet er niet iets met verzekeringen gebeuren of zo? Hij zou niet weten hoe en bij wie het huis verzekerd is. Zijn vader heeft in de tas waaruit hij het geld heeft gestolen ook alle belangrijke papieren, dus ook de verzekeringspolissen meegenomen toen hij naar Zwitserland probeerde te vluchten. En daardoor moet hij weer aan zijn familie denken. Zouden ze nog leven? Hoe moet hij daar achter komen?

Hij neemt zich voor om met meneer Smit te gaan praten. Die heeft contact gehad met teruggekeerde gevangenen en die zal hem wel verder kunnen helpen. Er zal toch wel iemand zijn die zijn ouders, zijn zuster en Van den Assem heeft gezien, ontmoet, met hen gepraat? Lex realiseert zich niet dat de Duitse concentratiekampen soms wel tienduizenden gevangenen herbergden. Hij weet ook niet dat er naar het vernietigingskamp Auschwitz zo'n anderhalf miljoen mensen werden gedeporteerd, die bijna allemaal zijn vermoord. En dat de kans dus uiterst miniem is dat zijn familie en Van den Assem terugkeren, om nog maar niet te spreken van de geringe kans dat een teruggekeerde uit de Duitse kampen uitgerekend zijn familie heeft ontmoet. Maar er zal in Amsterdam toch wel een instantie te vinden zijn die zich met vermisten en teruggekeerde gevangenen bezighoudt? Hij wordt er steeds zenuwachtiger van. Hoe moet het nu verder met hem? Zal hij de baan in het hotel van Betty eigenlijk wel krijgen? En hoe komt het dat Betty zich zijn lot zo aantrekt?

Hij stapt uit bed en loopt voorzichtig op zijn blote voeten naar het toilet. Als hij heeft doorgetrokken, gaat hij op zijn tenen weer terug naar zijn kamer. Maar als hij voorbij de deur van Betty's

slaapkamer komt, hoort hij haar stem.
'Kun je niet slapen? Het is al bijna twee uur.' Hij staat stil.
'Eh... nee. Ik bedoel: ja. Ik moest even naar het toilet.'
'Kom eens hier.' Haar stem klinkt neutraal en hij aarzelt. Dan doet hij voorzichtig de deur van haar kamer open. Ze ligt in het brede bed, de armen onder haar hoofd. 'Het bed van haar ouders', schiet het door hem heen. Een schemerlampje op het nachtkastje brandt.
'Kun jij ook niet slapen?'
'Nee', zegt ze kalm. 'Kom 'es hier zitten', en ze klopt op het bed naast haar. Aarzelend gehoorzaamt hij. Ze kijkt hem rustig aan, 'Je hebt vandaag ook wel het een en ander over je heen gekregen.'
'Ja, het is allemaal nogal... nogal verwarrend.' Hij voelt de tranen weer omhoog komen en wrijft met de mouw van zijn pyjamajasje langs zijn ogen.
'Je mag best huilen', zegt Betty zacht. 'Huilen is goed voor je', had Geesje tegen hem gezegd.
'Ik wíl helemaal niet huilen!' zegt hij moeilijk. 'Maar het is allemaal zo...'
'Ik weet het.' Ze slaat het dek open. 'Kom eens bij me liggen.'
Lex aarzelt. Bij haar liggen? Wil Betty dat hij...
'Toe maar. Ik heb ook wel eens behoefte aan een schouder.'
Dan schuift hij voorzichtig naast haar.

*

'De laatste twee jaar zijn voor mij ook niet erg gemakkelijk geweest', zegt Betty. 'Mijn ouders... Je begrijpt dat het een enorme klap voor me was. Familie heb ik niet. Ik moest plotseling alles zelf regelen, alles zelf oplossen. Ik ben vaak moedeloos geweest en het was maar goed dat ik m'n werk had. Dat heeft me geholpen. Maar soms... Ik ben soms heel erg eenzaam.'

Ze kijkt hem aan. Hun hoofden zijn vlak bij elkaar. Lex voelt weer die schok door zich heen gaan die hij ook kreeg toen hij voor het eerst in die blauwe ogen keek.

'Je bent lief,' zegt hij schuchter en ze glimlacht.

'Jij ook. Maar eigenlijk ben ik een keihard mens. Dat heb ik in de loop van de tijd wel geleerd.'

'We zijn allebei nogal eenzaam, denk ik. We hebben geen van beiden meer mensen die achter ons staan en die ons helpen.'

'Nee. We zullen het allemaal zelf klaar moeten spelen.'

Lex legt zijn hand op haar zachte, warme wang en streelt die.

'Het lukt ons wel!'

'Denk je?' Hij knikt. Haar arm komt omhoog, om zijn schouders. Ze trekt hem naar zich toe.

'Zullen we elkaar dan maar troosten?' Ook de blauwe ogen zijn nu mistig van de tranen. Hij knikt woordeloos.

Het gaat allemaal heel vanzelfsprekend. Ze helpt hem, leidt zijn hand. Het gaat allemaal als vanzelf en het is nieuw en spannend, maar tegelijk ook wonderlijk vertrouwd. Als Betty later met haar hoofd op zijn schouder inslaapt, voelt hij zich alsof hij ondanks alles toch is thuisgekomen.

7

Woelige tijden

'Can you get me a nice girl for tonight?' De Amerikaan knipoogt naar Lex, die achter de balie van het Atlanta Hotel beleefd teruglacht. Knipogen doe je niet naar een gast.
'No problem, sir. Any special wishes?'
De man wil een blondine en niet te mager. Ja ja, denkt Lex en raadpleegt tersluiks zijn adresboekje. Met 'niet te mager' bedoelen Amerikanen doorgaans een mollige meid. Nou, die heeft hij wel in zijn bestand.
'She'll be joining you in the bar in half an hour, sir.' Hij pakt de telefoon.
Tevreden vertrekt de Amerikaan naar zijn eerste drankje van die avond. Lex krijgt gehoor.
'Pascale? Lex van het Atlanta. Ik heb een klant voor je. In de bar. Over een half uur heb ik gezegd.' Hij luistert even; aan de andere kant van de lijn kwettert een vrouwenstem.
'Een Amerikaan. Nee, geen militair. Zakenman. Ja, oké, ik zie je straks.'
Het is juni 1947. Lex is hier nu bijna een jaar in dienst. Als receptionist, maar ook als een soort assistent van directeur-eigenaar Willem Rijsenbrij, want die heeft maar al te vaak andere dingen te doen. Aanvankelijk werd Lex inderdaad in het hotel van Betty aan de Vijzelstraat aangenomen, maar daar werkte hij als een soort liftboy en portier; niet bepaald wereldfuncties en zonder

veel uitzicht op positieverbetering. Hij is zijn eerzucht, die hem vroeger deed dromen van de universiteit, een meesterstitel en een politieke bliksemcarrière, nog niet kwijt, al heeft die eerzucht hem zijn jongensdroom niet doen verwezenlijken. Maar hij wil toch hogerop. Het hotelvak staat hem wel aan en hij is nu om zich heen gaan kijken of er geen mogelijkheden zijn om meer te bereiken dan kofferdrager. Een tip van de barman brengt hem naar hotel-restaurant Atlanta, een middelgroot, maar vrij chique zakenhotel in de dure Apollobuurt, niet ver van zijn vroegere huis. 'Veel Amerikanen', had de barman gezegd en Lex had zijn oren gespitst, want waar Amerikanen zijn, zit geld. Bij Willem Rijsenbrij had hij hoog opgegeven van zijn gymnasiumopleiding ('Ja, voltooid, meneer Rijsenbrij, maar helaas geen diploma, daar kwam de oorlog tussen'), zijn ervaring in het hotelwezen ('In feite fungeerde ik daar als assistent-manager, maar ja: te weinig concrete vooruitzichten, hè?') en de directeur was er ingetrapt. Receptionist was zijn officiële titel, maar Rijsenbrij had hem, met de belofte van een goed salaris, verteld dat Lex hem in feite regelmatig moest gaan vervangen. 'Ik heb ook nog andere belangen, dus je begrijpt: ik ben er vaak niet en dan moet er toch iemand een oogje in het zeil houden en beslissingen kunnen nemen. Eigenlijk fungeer je dus als een soort assistent-manager, begrijp je?' Lex knikte. Hij begreep het heel goed en het aanbod beviel hem opperbest.

*

Betty begrijpt zijn overstap wel. 'Natuurlijk, als je je kunt verbeteren: altijd doen.' Ze zijn inmiddels getrouwd, want Betty is acht maanden in verwachting en in die tijd 'moest' je dan trouwen. Het is een sobere huwelijksplechtigheid geweest, op een zaterdag in het stadhuis, samen met een stuk of wat andere trouwlustige paren. Hans en Anneke Smit waren hun getuigen geweest en na afloop zijn ze een hapje gaan eten. Bij Heck's op het Rembrandtsplein.

'Weet je nog dat jij hier je zestiende verjaardag mocht vieren?' vraagt Lex aan Hans en die knikt.

'Ja, 1940. Zeven jaar geleden. Het is uiteindelijk niet doorgegaan, door de oorlog en doordat jij was verdwenen en je ouders en zusje gevlucht. We hadden toen wel andere dingen aan ons hoofd.'

Lex knikt. Hij heeft nu eindelijk geaccepteerd dat zijn ouders, zuster en meneer Van den Assem niet meer zullen terugkomen. Dat ze naar een concentratiekamp zijn afgevoerd en dat niet hebben overleefd. Of misschien zijn ze wel op de vlucht neergeschoten. Maar hij heeft alle hoop opgegeven om ze nog ooit terug te zien. Hij is ook een paar keer bij zijn oude huis gaan kijken, maar de geblakerde puinhopen maakten hem zó depressief dat hij nooit meer is teruggegaan. Wel is hij naar het kadaster gegaan om er achter te komen hoe het zat met eigendom en verzekeringen. Van dat laatste wist men niets, maar als hij kon bewijzen dat hij de zoon was van de eigenaar, kon hij de ruïne zijn eigendom noemen. Hij heeft geen poging ondernomen. Hij heeft zijn leven omgegooid en denkt nog maar zelden aan vroeger. Die periode heeft hij voorgoed afgesloten. Hij wil nu verder in het hotelvak. Zijn eigen restaurant moet hij hebben. Of liever nog: een eigen hotel erbij! Michelinsterren moet hij hebben. Zijn naam moet

overal rondzingen, als de belangrijkste hotelier van het land. Een horecatycoon. Hij glimlacht in zichzelf.
'Wat heb jij voor binnenpretjes?' vraagt Anneke.
'Ach, niks bijzonders. Het zit me gewoon allemaal mee op het moment.'
Hij denkt aan zijn gestaag rooskleuriger wordende financiële positie. Natuurlijk betaalt hij mee aan het huishouden, maar hij geeft niet zijn hele salaris af aan Betty en vooral niet het geld dat hij binnenhaalt met zaken die hij onderhands voor gasten doet. Merendeels komt het door de dames die hij voor hen regelt, dat brengt een aardige cent op. Maar ook zorgt hij voor ander amusement en maakt zelfs zakelijke afspraken. Hij heeft goede contacten met Edo Bomhof, een man van wie hij weet dat hij zaken doet die het daglicht niet kunnen verdragen. Maar Bomhof is royaal en de diensten die hij van Lex vraagt, zijn vrij gemakkelijk te verwezenlijken. 'Mensen met elkaar in contact brengen', noemt Bomhof dat. Op gasten inpraten, ze een bepaalde richting in duwen en aan die richting zitten altijd financiële consequenties vast. Praten kan Lex als de beste. En zijn bankrekening groeit. Langzaam, maar zeker. Dat hij langs de randen van de wet loopt en daar af en toe overheen gaat, doet hem weinig. De wereld is nu eenmaal een wildernis. Als je wilt overleven en er zonder kleerscheuren doorheen reizen, moet je wel eens een boom omhakken, vindt hij.

*

'Een gezonde jongen!' zegt de verpleegster. 'Zeven pond, het is

een stevige baby. Gefeliciteerd, meneer Presser!'
Lex buigt zich over het bedje heen. Hij is 22 en vader. Jong, ja, maar eigenlijk was dit kind ook niet helemaal de bedoeling. Toch is hij trots. Hij heeft immers bewezen dat hij zich kan voortplanten en inderdaad: het is een baby om trots op te zijn. Hij kust zijn vrouw. Betty is moe. De bevalling ging niet erg voorspoedig en duurde lang.
'Dank je wel voor die mooie zoon', fluistert Lex en ze glimlacht vermoeid. Dan glijden haar ogen dicht.
'Laat haar maar slapen,' zegt de verpleegster. 'Des te gauwer is ze weer op de been.'
Lex verlaat het ziekenhuis en denkt aan de toekomst. Er gaat waarschijnlijk binnen niet al te lange tijd een salaris wegvallen, want Betty zal haar baan wel opzeggen, nu ze een kind heeft waarvoor ze moet zorgen. Ze heeft wel bedacht dat ze kan blijven werken en het kind op haar kantoortje zal kunnen stallen, maar Lex vraagt zich af hoe lang ze dat kan volhouden. Hij zal de financiën op een gegeven moment alleen moeten gaan opbrengen en ziet zijn bankrekening, die hij voor Betty verborgen heeft gehouden, voor zijn geestesoog slinken.
Zijn zoon zal Jaap heten. Lex heeft hem Jacob willen noemen, naar zijn vader, maar Betty vindt dat een vreselijke naam en heeft net zolang gesoebat totdat Lex akkoord ging met Jaap. De familie Smit heeft een cadeautje gestuurd en een kaart: 'Hartelijke gelukwensen. Fam. Smit'. Ze zijn niet op bezoek geweest en Lex realiseert zich dat hij en de Smits langzamerhand uit elkaar zijn gedreven. Ook met Valthermond heeft hij geen contact meer, noch met Geert, noch met meester Van Klinken. Noch met

Geesje. Lex moet af en toe nog wel eens aan haar denken, even, in een flits, maar dan richt hij zich weer op zijn nieuwe leven. Het oude leven ligt definitief achter hem.
Als hij zijn zoon bij de Burgerlijke Stand heeft aangegeven, gaat Lex terug naar het Atlanta. Mét taartjes, want hij moet natuurlijk trakteren. Felicitaties van het personeel en van de vaste gast, meneer Waardenburg, een zonderlinge vrijgezel van enigszins gevorderde leeftijd, die steenrijk schijnt te zijn, van een stevige borrel houdt en verkiest in een hotel te wonen. 'Ik moet die ellende van een huis niet hebben', heeft hij Lex al eens toevertrouwd. 'Hier heb ik een riante kamer, ik heb geen gedoe met verzekeringen en onderhoud, ik hoef niet zelf voor m'n eten en drinken te zorgen, ik kan elk uur van de dag in de bar terecht en ik kan gaan en staan waar ik wil.' Dat hij op die manier veel duurder uit is dan wanneer hij een huis had, schijnt hem niet te deren. Hij heeft een zwak voor Lex, die hem een paar keer een plezier heeft gedaan, onder meer bij een schimmige financiële transactie waaraan Waardenburg wat geld heeft verdiend, maar waarvan Edo Bomhof het meeste heeft geprofiteerd. En Lex heeft uiteraard zijn provisie ontvangen.
'Goede maatjes met hem blijven en veel aandacht aan hem besteden', denkt Lex. Hij verblijft graag in de buurt van geld, in de verwachting dat er nog wel eens het een en ander zijn kant op zou kunnen rollen.

*

Hij denkt nog wel eens een enkele keer terug aan zijn afgebroken

opleiding. Eigenlijk is het allemaal maar betrekkelijk, vindt hij nu. Hij heeft drie jaar gymnasium. De aanvullende lessen van meester Van Klinken hebben hem een eind op weg in het vierde jaar gebracht en daar heeft hij best iets aan, maar de belangrijkste leermeester is nog steeds de praktijk, weet hij. Kijk maar naar Hans Smit: die heeft na de vierde klas afgehaakt om bij zijn vader in de winkel te gaan staan. Van gymnasiast met een briljante toekomst naar een baantje in een kledingwinkel?
'Ik had geen zin meer in al dat leren. Het was ook niet leuk meer op het gym, leraren weg en zo, en NSB'ers als vervangers. Er waren ook steeds meer leerlingen die bij de Nationale Jeugdstorm waren gegaan en die kwamen dan in van die enge uniformen op school en zeiden voortdurend "Houzee!" tegen elkaar. De sfeer was er eigenlijk volledig verziekt. En mijn vader kon me toen goed gebruiken in de zaak, dus ik was blij dat ik daar weg kon.'
'Vonden ze dat bij jou thuis dan niet vervelend?'
'Ach nee. Ze begrepen het wel. En m'n vader was blij dat hij er iemand bij kreeg. Later heb ik me verborgen moeten houden, toen ik oud genoeg was om naar Duitsland te worden gestuurd. In die tijd heeft de zaak ook stil gelegen en hebben we het moeilijk gehad. Maar nu krabbelen we weer overeind en gaat het best goed. De mensen hebben weer geld en we hebben het druk.'
Ja, heel Amsterdam is overeind gekrabbeld en vertoont de bekende veerkracht die de stad altijd heeft gekenmerkt. Er is weer handel en reuring en Lex doet daar lustig aan mee. Dat het vaak om zwarte handel gaat, deert hem niet. 'Je moet nou eenmaal pakken wat je pakken kunt', heeft hij aan Betty uitgelegd. Die fronst haar wenkbrauwen; ze is daar niet bepaald blij mee. 'Als

je maar uitkijkt!'
Hun verhouding is trouwens niet meer zoals die in het begin is geweest. De hevige verliefdheid is langzaam overgegaan; ze zijn het echtpaar-met-kindje geworden, dat hard werkt en sober leeft. Betty is in het hotel blijven werken. De directie heeft goedgevonden dat ze kleine Jaap meeneemt en hem in haar kantoortje verzorgt. Dat gaat goed en ze heeft geluk dat ze zo veel ervaring heeft en dat er zo weinig vervangers voor haar te vinden zijn. Daardoor kan ze nog wel eens een potje breken.
Ook Lex werkt hard. Betty en hij zien elkaar niet vaak, want diensten op verschillende tijden staan een normaal huwelijks- en gezinsleven danig in de weg. Vrijen doen ze nog maar zelden en vaak wordt het niet meer dan een verplicht nummer. Eigenlijk groeien ze langzaam uit elkaar, beseft Lex.

*

Het is 1948 geworden. Veel is er niet veranderd. Jaap groeit voorspoedig. Hij is net een jaar geworden; een leuk en levendig kereltje. Maar hij gaat wel steeds meer aandacht vragen en Betty heeft haar handen vol. Aan Jaap en aan haar werk. Het begint haar een beetje boven het hoofd te groeien en ze piekert hoe ze dit kan oplossen. Ze wordt er somber en zelfs een beetje depressief van. Lex voelt zich steeds meer thuis in het horecavak, maar hij realiseert zich ook dat hij nog te weinig van dat vak weet en dat hij zeker te weinig ervaring heeft. Hij wil meer weten van het besturen van een restaurant en een hotel, van de keuken, van de bedrijfsvoering, van zoveel zaken die hij nodig zal hebben. Want hij heeft in zijn hoofd gezet dat hij eigenaar zal worden van een exclusief restaurant, op een toplocatie, met een topkok, Michelinsterren en veel illustere gasten. En later ook van een gerenommeerd hotel-restaurant, natuurlijk weer met een uitstekende keuken en veel internationale gasten. In zijn schaarse vrije tijd gaat hij restaurants en hotels bekijken. Hij heeft een motorfiets gekocht en daarop tuft hij door stad en omstreken. Op een van die tochten komt hij in Amstelveen terecht en daar ziet hij restaurant De Molen. Het gebouw torent met zijn wieken boven de huizen uit.

Lex wist natuurlijk van het bestaan ervan, maar was er nog nooit geweest. Nu hij het voor zich ziet liggen, slaat zijn hart een slag over. Wat een bijzonder pand en wat een schitterende locatie! Hij zet zijn motor op de parkeerplaats en gaat naar binnen. De inrichting is nogal traditioneel, met veel donker hout, maar niet ongezellig. Hij telt zo'n twintig tafeltjes. Maximale bezetting tachtig tot honderd gasten; dat is genoeg en niet te veel. Bij de barjuffrouw informeert hij naar de manager en die verschijnt meteen. Lex informeert naar de geschiedenis van het pand.

'De Molen is in 1940 gerestaureerd', vertelt de manager. 'Hij is meer dan tweehonderd jaar oud, maar pas in 1946 is hij als restaurant ingericht. Een exclusief restaurant, mag ik wel zeggen. Omdat we zo dicht bij Schiphol zitten, hebben we veel buitenlandse en ook veel zakenlieden en politici als gasten.'

Lex knikt. Precies wat hij dacht. Hij besluit dat hij dit restaurant moet en zal hebben! In zijn gedachten heeft hij De Molen al in een eigentijds eetpaleis getransformeerd, met een buitenlandse chef-kok met sterrenpotentie, met chique gasten en met hemzelf als middelpunt. Alleen: is het restaurant te koop en hoe moet hij

aan voldoende geld komen? Terloops informeert hij naar de eigenaar. 'Dat is meneer Hoedemaker, hier uit Amstelveen', meldt de manager. 'Hij is er op het ogenblik niet. Had u hem willen spreken?'
Lex wimpelt een afspraak af. Hij heeft genoeg gehoord. Hij is smoorverliefd geraakt op dit restaurant en hoe lang het ook nog moet gaan duren: eens zal De Molen van Lex Presser zijn!

*

Lex denkt de laatste tijd veel na. Over het onderwerp dat op dit moment het belangrijkste voor hem is: zijn toekomst. Hij moet naar het buitenland, het liefst naar Parijs en misschien daarna naar Zwitserland, om in exclusieve hotel-restaurants alles over het horecavak te leren. Dan terugkomen en als hotelmanager in Nederland aan de slag, totdat hij genoeg geld bij elkaar kan schrapen om een exclusief restaurant te bemachtigen; dat zal uiteraard De Molen moeten worden, koste wat kost. Hij besluit binnenkort met Willem Rijsenbrij te gaan praten en te kijken welke mogelijkheden er voor hem te bedenken zijn. Hij kan goed opschieten met de eigenaar van het Atlanta en hij weet dat Rijsenbrij veel buitenlandse contacten heeft. Misschien kan hij helpen.
Maar eerst Betty. Hij heeft ten slotte zijn verplichtingen als echtgenoot en vader. Die kan hij niet zonder meer verwaarlozen en er een paar jaar tussenuit knijpen. Met z'n drieën verhuizen? Uitgesloten. Ten eerste zal Betty gewoon niet willen, het is financieel immers onhaalbaar. Ze zou haar werk en daarmee haar inkomsten moeten opgeven. Dat doet ze nooit, weet Lex. Als hij daar

in Parijs gaat werken en later in Zwitserland, zal hij in het begin als stagiair maar heel magertjes verdienen, vermoedt hij. Dat zal voor hem alleen al een hele opgave zijn, laat staan voor een gezin. En wat moet er met Jaap? Die is nu nog jong, maar er komt een tijd dat hij naar de kleuterschool zal gaan en daarna naar de lagere school. Hij weet niet hoe dat in Frankrijk en Zwitserland allemaal gaat en of het überhaupt mogelijk is voor buitenlanders. Hij piekert en piekert, maar komt er niet uit. En toch heeft hij in zijn hoofd gezet dat hij een solide basis moet opbouwen en dan verder, steeds verder, steeds hoger. Want Lex mag zijn oorspronkelijke plannen om advocaat en politicus te worden hebben opgegeven, de nieuwe plannen zijn ervoor in de plaats gekomen en die zal hij even fanatiek najagen als destijds zijn ministersdroom. Maar er zijn dus bijna onoverkomelijke problemen op die weg naar de top. Hoe moet hij het Betty vertellen, wat kán hij haar vertellen? 'Ik ga een paar jaar in het buitenland werken, je redt je zeker wel met de kleine?' Uitgesloten. Maar toch, hoe langer hij erover nadenkt, hoe vastbeslotener hij raakt over zijn vertrek. Zou Betty het niet drie, vier jaar zonder hem kunnen stellen? Er zijn genoeg echtgenoten en vaders die voor een langere periode het huis uit gaan om zich elders te bekwamen.

*

En dan gebeurt er iets wat alle plannen weer volledig op zijn kop zet. Betty komt op een avond thuis terwijl ook Lex thuis is; hij heeft vanavond geen dienst. Hij merkt dat ze anders dan anders is, zenuwachtig. Ze geeft Jaap eten en als Lex daarna met zijn zoon op schoot zit te spelen, totdat Betty in de keuken zijn badje heeft klaargemaakt, hoort hij dat ze nerveus kucht en dat ze zelfs een borstel uit haar handen laat vallen. Dat betekent dat er iets aan de hand moet zijn, want normaal is ze de kalmte zelf. Als ze Jaap in zijn bedje hebben gelegd, komt de aap uit de mouw. Betty zegt: 'Ik moet met je praten.'

Ze zitten aan tafel in de kamer en Lex herinnert zich de avond dat ze in hun eigen huis ook om de tafel zaten en dat zijn vader toen aankondigde dat ze zouden gaan vluchten. Hij voelt dat er opnieuw iets ernstigs aan de hand is. Is Betty misschien haar baan kwijtgeraakt? Mag Jaap niet langer overdag op haar kantoortje blijven?

'Luister. Ik heb veel nagedacht. Er is een gast in het hotel, een Amerikaan.'

Lex voelt een steek in zijn maag. Heeft Betty een ander?

'Nee, het is niet wat je denkt. Hij is al jaren getrouwd en we hebben helemaal niets met elkaar. Alleen: hij heeft een hotel in Minneapolis, in de staat Minnesota. Dat wil hij moderniseren en verbouwen en daarom is hij ook hier, om zijn licht op te steken in de Europese horeca. We hebben veel met elkaar gepraat. Hij is onder de indruk van mijn manier van werken en hij heeft me gevraagd of ik zin heb om naar Amerika te komen om zijn zaak opnieuw te helpen opbouwen.'

Ze zwijgt, verzamelt kennelijk moed. Dan: 'Ik heb ja gezegd.'

Lex weet nog steeds niet wat hij moet zeggen. Hij is totaal overdonderd.

'Je hebt ja gezegd? Maar... Jaap dan?' brengt hij uit. 'En ik?'

'Als ik ga, neem ik Jaap mee', zegt Betty beslist. 'Clark – dat is

die Amerikaan – heeft gezegd dat hij het geen enkel probleem vindt als het hele gezin naar Minneapolis komt; hij heeft voorlopig een huis voor ons, op zijn eigen terrein – ik geloof dat hij nogal veel geld heeft. En voor jou is er misschien ook wel een baan in dat hotel. Ga je met ons mee?'
Gaat er nu wéér een droom van hem in duigen vallen? Nu heeft Betty zijn buitenlandse plannen doorkruist met háár buitenlandse plannen. Het is bizar en hij voelt zich langzaam kwaad worden. Dát kan hij toch niet laten gebeuren! Dat mag niet!

*

Hij haalt diep adem en vertelt. Over zijn voornemens om in het buitenland praktijkervaring te gaan opdoen. Over hoe ver zijn plannen al gevorderd zijn – waarbij hij wel flink overdrijft; alsof hij morgen al op de trein zal stappen.
Ze hoort hem zwijgend aan. Als hij is uitgesproken, valt er een lange stilte, waarin ze elkaar niet aankijken. Er is plotseling een muur tussen hen opgetrokken.
'Ik denk dat we dan beter uit elkaar kunnen gaan', zegt ze dan zachtjes.
Uit elkaar? Scheiden?
'Waarom denk je dat? Is er geen mouw aan te passen?'
'Ach, je weet zelf toch ook wel dat het niet meer zo is als in het begin. Toen hebben we ons aan elkaar vastgeklampt, omdat we allebei eenzaam waren. Toen is Jaap ook gemaakt. Maar eigenlijk passen we niet bij elkaar, Lex. We... we hóren niet echt bij elkaar. Ik heb me de laatste tijd afgevraagd of ik nog wel van je

houd. En ik ben bang...' Ze zwijgt, schudt haar hoofd.
Hij knikt langzaam. 'Ik moet toegeven dat onze verhouding veranderd is. Die verliefdheid van toen is... nou ja: wel verdwenen. Maar scheiden? Wat ben je van plan? En wat moet er met Jaap?'
'Lex, ik denk heus dat het niet goed is als wij bij elkaar blijven. Dat scheiden het enige verstandige is. Ik hoop alleen dat we die scheiding netjes kunnen afhandelen en dat je het goed vindt dat ik Jaap meeneem naar Amerika. Clark zorgt voor een werkvergunning en er staat me niets meer in de weg om te emigreren.'
Hij weet niet wat te zeggen. En plotseling merkt hij dat er een merkwaardig gevoel van opluchting aan een hoekje van zijn geest knaagt. Ook hij heeft zich immers afgevraagd of hij nog wel van Betty houdt en ook hij is tot de slotsom gekomen dat de liefde voorbij is. Zou dit dan de oplossing zijn?
'Ik moet erover nadenken. Geef me even de tijd.'
'Hoe dan ook, Lex: mijn besluit staat vast. En als het niet goedschiks kan, dan maar kwaadschiks. Dit is mijn kans om aan dit bekrompen landje te ontsnappen en die kans wil ik aangrijpen.'
Hij knikt. 'Ik laat je morgen weten hoe ik erover denk.'

*

De beslissing is sneller gevallen dan ze beiden verwachtten. Lex stemt toe in een scheiding en daarmee in het feit dat hij zijn zoon wellicht niet meer zal zien. Dat laatste heeft hem nogal wat hoofdbrekens gekost. Kan hij zijn zoon missen? Maar uiteindelijk besluit hij om voor zichzelf te kiezen, zijn eigen doelen na te gaan jagen. Daar passen dan geen vrouw en kind meer in, vindt hij.

Hij is met Willem Rijsenbrij gaan praten. Sinds enige tijd tutoyeren ze elkaar en Rijsenbrij leunt zwaar op Lex. Hij is aanvankelijk dan ook niet blij met het voornemen van zijn rechterhand om kennis op te gaan doen in het buitenland. Hij wil Lex niet kwijt en dat zegt hij ook eerlijk. Maar hij begrijpt het wel en hij begrijpt ook dat Lex na zijn terugkeer nog veel meer waard zal zijn dan nu. Ze sluiten een overeenkomst: Lex mag naar het buitenland; Rijsenbrij heeft contacten met het gerenommeerde Trianon Hotel in de Franse stad Versailles en daar zal Lex ongetwijfeld terecht kunnen. Maar Zwitserland vindt Willem niet goed. Dan is Lex te lang weg. Twee jaar mag hij wegblijven, maar Rijsenbrij verwacht hem daarna onherroepelijk terug. Zijn plaats bij het Atlanta blijft open en als hij terugkomt, wordt hij officieel assistent-manager.
Een fantastische deal, vindt Lex. Ook al gaat hij in het buitenland ongetwijfeld minder verdienen, hij komt als aankomend horecatycoon terug en gaat dan zijn fortuin maken, daarvan is hij overtuigd.
Ook met Betty verloopt de afhandeling soepel. De scheiding wordt na een klein jaar uitgesproken, ze verkoopt het appartement en een deel van de opbrengst gaat naar Lex. 'Voor de eerste moeilijke tijd', zegt ze, niet wetend dat Lex nog een flinke spaarpot achter de hand heeft. Betty gaat aanstalten maken voor haar vertrek naar Minneapolis. Half november 1949 zal haar schip uit Rotterdam vertrekken. Er is een enthousiaste brief van Clark gekomen, die haar en Jaap hartelijk verwelkomt. 'I'm so sorry that your husband cannot come', schrijft hij en Betty denkt grimmig: 'doesn't want to come.'
Als het afscheid daar is, hebben ze elkaar niet veel meer te zeg-

gen. In de trein naar Rotterdam zitten ze allebei uit een ander raampje te kijken. Kleine Jaap zit tevreden met zijn lievelingsbeertje op de schoot van zijn moeder en lacht af en toe naar Lex. Taxi van het station naar de kade. De koffers zijn vooruit gestuurd. Ze gaan met z'n drieën aan boord en Lex bekijkt de hut van Betty en Jaap. Even, héél even bekruipt hem de lust om de boel de boel te laten en mee te gaan naar Amerika. Maar hij vermant zich. Nu is híj aan de beurt!

*

Als het tijd is om afscheid te nemen, omhelzen ze elkaar beleefd. Toch heeft Betty tranen in haar ogen en als Lex Jaap in zijn armen neemt en hem vaarwel kust, heeft hij ook grote moeite zijn emoties te beheersen. Ja, ze zullen beiden schrijven. Dikwijls. Lex belooft zijn adres in Frankrijk zo spoedig mogelijk te laten weten.

Hij blijft op de kade staan en zwaait zijn ex-vrouw en zoon uit. Maar al spoedig kan hij ze niet meer onderscheiden tussen de andere passagiers. Dan draait hij zich om. Zo. Al weer een tijdperk voorbij. Hij loopt door de vertrekhal van de scheepvaartmaatschappij. Zijn voetstappen klinken ferm op de tegels. Buiten wenkt hij een taxi. 'Centraal Station graag.' Ofschoon de sporen van het Duitse bombardement van 1940 nog overal duidelijk zichtbaar zijn, begint Rotterdam al weer aardig te functioneren. Nederland heeft de oorlog van zich afgeschud en is opnieuw begonnen. Net als Lex.

De nieuwe bewoners van het appartement zullen in het begin van

1951 arriveren en tot zolang blijft Lex aan het werk bij het Atlanta en in het appartement wonen. De voorbereidingen voor zijn reis naar Frankrijk zijn eigenlijk allang gemaakt. Alles ligt klaar. Niet meer dan twee koffers en de onafscheidelijke rugzak. Meer is niet nodig. Hij heeft Willem Rijsenbrij beloofd hem regelmatig op de hoogte te houden van zijn reilen en zeilen. Het Trianon in Versailles heeft hem een nette brief geschreven. Hij zal als 'assistant général' beginnen. 'Klinkt chic, betekent niks', zegt Rijsenbrij. 'Stagiair. Duvelstoejager. Maar je leert er ontzettend veel.'
Als Lex in mei 1951 in de trein naar Parijs stapt, heeft hij alleen afscheid van Rijsenbrij genomen. De familie Smit heeft hij na de scheiding van Betty niet meer gezien, ook Hans niet. Hij propt zijn koffers en rugzak in het bagagenet en voelt zich even vreselijk alleen.

8

Thérèse

Ik heet Thérèse de Beaufort en ik geloof dat we een beetje van adel zijn. Mijn vader zegt dat de De Beauforts een van de oudste geslachten van Frankrijk zijn en dat hij chevalier is. Maar hij gebruikt z'n titel verder nooit. Het betekent volgens mij – en volgens papa – vrijwel niets. Het ziet zwart van de chevaliers in Frankrijk. In Nederland heet een chevalier 'ridder', maar ik geloof dat het in dat land al evenmin veel betekent. Ik denk ook niet dat de titel erfelijk is; ik ben in elk geval geen chevalière of zoiets.
Mijn vader is vooral historicus. Dat wil zeggen: hij doceert geschiedenis en hij schrijft er dikke boeken over. Hij schijnt nogal bekend te zijn en hij verdient er idioot veel geld mee, denk ik. Vaak moet hij gastdocent op universiteiten zijn en spreken op congressen en zo, en als we de kans krijgen, zijn mijn moeder en ik er altijd als de kippen bij om hem te vergezellen. We wonen in een groot, behaaglijk huis uit de negentiende eeuw aan de rand van het stadje Lure, in het departement Haute-Saône. We leidden een soort plattelandsleven in Lure: veel tuinieren, groenten verbouwen, heggen snoeien, etentjes met de buren en met mooi weer in de zon liggen. Maman draagt altijd enorme tuinhoeden. Ze toont ook heel decoratief in een ligstoel en leest daar modetijdschriften met een pot thee of een glas wijn bij de hand. Verder doet ze erg veel aan goede doelen en organiseert ze bazaars en liefdadigheidsvoorstellingen van plaatselijke toneelverenigingen.

Ze is erg bekend in de omgeving, waar iedereen haar groet. Van de weeromstuit word ik dan ook gegroet, want ik ga vaak met mijn moeder mee naar zo'n bazaar, omdat ik niet veel anders te doen heb.
Ik was in februari 1952 twintig geworden en al meer dan twee jaar van school af, waar ik allerlei nuttige dingen heb geleerd, zoals je enkels elegant over elkaar kruisen, kunstbreien en salades Niçoises maken. En natuurlijk ook nuttige zaken als Frans, geschiedenis en aardrijkskunde en zo. Eigenlijk moest ik 'iets gaan doen' van mijn ouders. Mezelf nuttig maken voor de maatschappij bijvoorbeeld. Daar had ik weinig zin in en bovendien wist ik niet hoe. Verpleegster? Ik word al misselijk als ik bij een slager op z'n hakblok kijk. Liefdadigheidswerk? Daarvoor ben ik niet onbaatzuchtig genoeg. Iets studeren? Daar voelde ik al helemaal weinig voor. Ik had net jarenlang op school gezeten en ik vond het eigenlijk wel welletjes. Gelukkig drongen mijn ouders niet erg aan. Ze zijn altijd nogal gemakkelijk geweest. Ik mocht er rustig een jaartje of wat over nadenken.
Lure is nogal een saai stadje, met een schamele 5.000 inwoners en nogal een kleinsteedse uitstraling. Het ligt niet zó ver van Parijs vandaan, maar we komen toch zelden in de hoofdstad. Dus toen mijn vader daar naar een congres moest, gingen mijn moeder en ik mee en dompelden ons onder in de spannende winkels van Parijs. Om mijn verjaardag te vieren, zei maman. Het congres had een erg lange naam, waarvan ik alleen meekreeg dat het iets met archeologie te maken had, en we logeerden een weekje in hotel Trianon in Versailles. En toen kwam Alex Pressèr.

*

Of eigenlijk: hij was er al en ik kwam. In het Trianon dus. Mijn moeder en ik kwamen terug van het winkelen in Parijs en bespraken wat we allemaal hadden gekocht. De oorlog was al een hele tijd voorbij en de winkels lagen weer vol. Toen ik bij de balie om onze kamersleutel ging vragen, werd me die niet overhandigd door de receptioniste van wie ik anders de sleutel kreeg, want die was bezig, maar door iemand die ik nog niet eerder had gezien. Een niet al te grote, donkere man, wel ouder dan ik. Hij was correct gekleed, kostuum en stemmige stropdas, en stond kennelijk achter de balie om te controleren of alles goed ging, dacht ik. Een soort manager, of hoe zo iemand mag heten. Toen hij me de sleutels gaf en 'A votre service, mademoiselle', zei, hoorde ik dat hij niet uit Frankrijk kwam, hoewel zijn Frans heel goed klonk. Maar wij Fransen horen dat nu eenmaal direct. Ik zei 'Merci, monsieur', keek hem in zijn ogen en was op slag verkocht.
Ik zag dat hij even een lichte blos op zijn wangen kreeg en draalde met het terugtrekken van zijn hand, waarvan de vingertoppen de mijne beroerden. Toen kwam ik weer bij zinnen en liep ik – op een roze wolk, dat moet ik toegeven – naar mijn moeder die in de lobby op me wachtte en me onderzoekend aankeek. Ik was onherroepelijk en ongeneeslijk verliefd.
Nu was ik natuurlijk wel eerder verliefd geweest. Ik heb ook wel relaties gehad. Op m'n zestiende, met Honoré, maar die bleek na een half jaar onnoemelijk saai te zijn. Later met Christophe, maar die ging er met mijn beste vriendin vandoor. En even ben ik zelfs een soort van verloofd geweest. Met Jean-Louis, toen ik

negentien was, maar die haakte na een paar maanden al weer af. Later zag ik hem gearmd met een andere man en ze deden heel klef tegen elkaar, dus daar was voor mij ook niets aan verloren. Enfin, je kunt niet van me zeggen dat ik gelukkig ben in de liefde. Maar nu was er plotseling die buitenlandse hotelemployé. Belachelijk! Ik was een zo goed als volwassen vrouw en had veel ervaring in de liefde, vond ik zelf. Dan val je toch niet als een blok voor een meneer achter een balie! Een meneer die er weliswaar aantrekkelijk uitziet, maar van wie je niets, helemaal niets weet. Kom op, Thérèse! Wees een verstandige meid!

*

Maar ik was niet verstandig. Dit had ik nooit eerder meegemaakt. Mijn hart bonsde in mijn borst, alsof ik voor het eerst verliefd was. Ik móest hem terugzien, met hem in gesprek raken. En ik ging weer naar beneden, na mijn inkopen op mijn kamer op bed te hebben gelegd. Hij stond er nog, over een boek gebogen en met een telefoonhoorn aan zijn oor. Ik wachtte achter een pilaar in de lobby totdat hij zijn gesprek had beëindigd en haastte me naar de balie. Ik negeerde de receptioniste en wendde me rechtstreeks tot hem. Hij kleurde weer heel licht toen hij me aan zag komen en inwendig triomfeerde ik: kennelijk had ik ook indruk op hem gemaakt. Of er ook post voor me was, vroeg ik. Hij keek in het postvakje van onze kamer – hij hoefde niet eens naar het kamernummer te vragen! – en schudde zijn hoofd. ‘Pardon, mademoiselle, il n’y a rien.’

Wat nu? Bedanken, omdraaien en weglopen? Dat was mijn eer te

na. Ik keek hem aan. Hij keek terug. Hij keek heel érg terug. Ik dacht koortsachtig na. Hoe een gesprekje te beginnen? Ik kon me toch niet hysterisch aan zijn voeten werpen?
Maar hij nam zelf het initiatief: 'Denkt mademoiselle lang in Versailles te blijven?'
'Eh... nee, nog een dag of vier,' lispelde ik. Ik had een gevoel alsof ik ademtekort had.
'Zou ik... Ik weet dat het zeer ongebruikelijk is... Ik moet mademoiselle dan ook verzoeken om er niet over...' Hij hakkelde aanbiddelijk, maar niet omdat hij onvoldoende Frans sprak. Ik keek hem aan en wachtte in spanning af wat hij verder zou zeggen.
'Ik zou u graag uitnodigen om iets met me te gaan drinken en u... eh... Versailles te laten zien.' Hij klonk al zekerder van zichzelf. 'Denkt u niet dat ik alle vrouwelijke gasten uitnodig. Ik doe dat nooit. Het is trouwens ook niet toegestaan. Maar u... Er is iets...'
'Hoe weet u dat ik niet getrouwd of verloofd ben? Hoe weet ik dat u dat niet bent?' Ik besloot hem een beetje te plagen. Maar hij schudde zijn hoofd.
'Ik heb naar uw handen gekeken. Geen ring.' Hij stak zijn eigen handen uit. Geen ring.
'Ik ben vanavond om acht uur vrij', zei hij. 'Ik wacht op u aan het begin van de oprijlaan van het hotel. Komt u?'
De receptioniste kwam naar ons toe en bleef wachten om hem iets te vragen. Ik knikte, zonder erbij na te denken.'
'Oui', zei ik. En later tegen mijn moeder: 'Ik heb hier iemand ontmoet. We gaan vanavond iets drinken.'
'O juist', zei mijn moeder en keek effen.

*

Behalve het paleis, tegenover het hotel, en een paar kerken is er eigenlijk niet zoveel spannends te zien in Versailles, maar daar ging het ook niet om. Hij stond inderdaad aan het begin van de oprijlaan op me te wachten, hoed in de hand. Hij stelde zich voor: 'Alex Pressèr. Ik ben Nederlander en loop stage in het Trianon. U moet het me maar niet kwalijk nemen, maar toen u daar voor de balie stond... Ik kreeg een soort... schok. Alsof ik u herkende. Daarom durfde ik u dit ook te vragen.'

Ik wist wat hij bedoelde, van die schok. 'Ik ben Thérèse de Beaufort.' Meer wist ik op het ogenblik niet te zeggen.

'Oui, je sais. Vous êtes... ravissante.' Hij werd rood en slikte en ik werd warm van binnen. Zo'n elegante, wereldwijze man en dan toch zo verlegen.

'Dank u wel. Wat gaan we doen?' Ik was toch een beetje op mijn hoede. Wat als hij kwaad in de zin had? Me het bos in zou sleuren en zich aan me vergrijpen? Hij maakte een uitnodigend gebaar en begon te lopen, richting dorp.

'Ik weet in een zijstraatje hier een leuke bar. Ik drink daar altijd graag une fine als ik vrij heb. Wilt u daar even met me gaan zitten? We kunnen het gemakkelijk lopen.' Ja, dat wilde ik wel.

Later, aan een tafeltje in het intieme cafeetje, kwam Alex wat meer los en vertelde over zichzelf. Het verlies van zijn ouders en zusje in de oorlog, waarvan ik kippenvel kreeg, zijn onderduikperiode op het platteland, zijn droom van advocaat en politicus, die door de oorlog in duigen viel. En over zijn huwelijk. Zijn vrouw die van hem was gescheiden en in Amerika een hotel ging hel-

pen opbouwen, zijn zoontje dat hij had moeten afstaan. Het leek allemaal op een spannende avonturenroman. Wat had die man verschrikkelijk veel meegemaakt! Hij was nu 27, vertelde hij en hij werkte hier in het Trianon om ervaring in het horecabedrijf op te doen, omdat hij een nieuwe droom had gevonden: een alom gekende en gerespecteerde horecaondernemer worden.
'Volgend jaar mei is mijn stageperiode hier afgelopen. Dan ga ik terug naar Nederland en begin daar als assistent-manager. Dat is al afgesproken.'
Er viel een stilte. Dan pakte hij mijn hand.
'Ik zou u graag... beter willen leren kennen. Ik geloof dat ik een beetje, nee: nogal érg... eh... verliefd op u ben geworden.' Hij kleurde weer lichtjes.
Dat was dus recht in de roos. Hij zei nog 'u' tegen me, maar verklaarde me ondertussen wel zijn liefde!
Aan het einde van de avond tutoyeerden we elkaar en had ik hem alles over mijn weinig interessante leventje verteld. En gezegd dat ik hem ook erg graag mocht. Erg graag. Op de terugweg naar het Trianon liepen we hand in hand. Bij het afscheid kuste hij me. Heel voorzichtig. Maar ook heel teder. Ik kreeg er bijna tranen van in mijn ogen.

*

Ik was rond half twaalf in het hotel. Mijn moeder zat in de bar, in druk gesprek met de barman. Papa had zeker een avondzitting op het congres, want die was er niet. Ik negeerde heel onbeleefd de barman en het gesprek en fluisterde in mijn moeders oor: 'Maman, ik ben verliefd.' We hebben bij ons thuis van ons hart nooit een moordkuil gemaakt. Mijn moeder glimlachte, zei 'Au revoir' tegen de barman en we gingen aan een tafeltje zitten.

'Ik dacht al: er is iets met je aan de hand. Wie is de gelukkige? Die knappe jongeman achter de balie?' Ze heeft haar ogen niet in haar zak, mijn moeder. Ik viel even stil.

'Hij heet Alex, hij is Nederlander en gescheiden, hij heeft een zoontje, in november wordt hij 28 en volgend jaar mei gaat hij weer naar Nederland', flapte ik eruit. Toen ik dat zo zei, voelde ik zelf wel dat het niet zo positief moest klinken.

'Dat klinkt allemaal niet zo positief', zei mijn moeder dan ook. Nuchter en verstandig, dat is ze altijd geweest. En zeuren heeft ze nooit gedaan.

'Ik weet het', zei ik deemoedig. 'Maar ik ben wel erg verliefd.'

Mijn moeder trok me naar zich toe en kuste me op mijn voorhoofd.

'Kijk het eerst maar eens even aan. Volgend jaar mei is nog ver weg.'

'Maar vind je het wel goed als ik met hem blijf omgaan?' Ze glimlachte.

'Dacht je dat het enige zin had als ik het je verbood?'

Nee, dat dacht ik niet. Ik ken mezelf. 'Je moet hem ontmoeten,' zei ik, 'en papa ook.'

'Ja, dat lijkt me op z'n minst gewenst.'

'Er is nog een probleem: het personeel van het hotel mag niet vertrouwelijk met de gasten omgaan, dus het moet allemaal wel stiekem.'

'Nou, dat kan er dan ook nog wel bij', vond mijn moeder en

zuchtte.
Die roze wolk waar ik de eerste keer over had gelopen, was weer terug. Februari of niet, de zon scheen oorverdovend, overal kwinkeleerden vogeltjes en iedereen was aardig. Maar er was een probleem: over vier dagen was mijn vaders congres voorbij en zouden we weer naar huis gaan. Hoe moest dat dan verder?
De volgende avond, aan tafel, vertelde ik het papa. Hij fronste eerst zijn wenkbrauwen, want hij had slechte herinneringen aan mijn vorige relaties. Honoré had hij stelselmatig genegeerd, Christophe vond hij een gluiperd – en daar had hij gelijk in – en van Jean-Louis zei hij altijd dat hij hem niet vertrouwde; ook daarin kreeg hij dus gelijk. En nu was zijn dochter dus van de ene dag op de andere smoorverliefd geworden op een stagiair uit een hotel. Een buitenlander, die over een jaar weer naar zijn vaderland zou teruggaan. Gescheiden, toe maar, dat kan er ook nog wel bij.
'Hoe zoek je ze toch altijd uit, mon enfant!' verzuchtte hij. Ik haalde mijn schouders op.
'Ik kan er ook niets aan doen, papa.'
Hij glimlachte en klopte op mijn hand. 'Dat neem ik aan,'

*

Het waren vreemde dagen. De avond nadat ik het mijn vader had verteld, ontmoetten mijn ouders Alex. Buiten de deur uiteraard en ze hadden geluk dat hij geen nachtdienst had, want die had hij de dag erop wel en dan was de kans om elkaar te ontmoeten voorlopig verkeken. Ik was er niet bij. Dat had ik zelf gewild. Mijn

aanwezigheid zou hun oordeel kunnen beïnvloeden, vond ik, en dus zei ik dat ze alleen moesten gaan. Ze gingen naar een restaurant in de buurt en ik ging Alex bij de balie vertellen dat ze hem daar graag om een uur of acht wilden ontmoeten. Ik had moeite om neutraal te blijven, maar hij niet. 'Uitstekend, mademoiselle', zei hij met een stalen gezicht; hij knipoogde zelfs niet eens.
Ik was zo zenuwachtig als een jong meisje voor haar eerste afspraak; het hart klopte in m'n keel. Ik wachtte in de lobby tot mijn ouders zouden terugkomen, had een tijdschrift gepakt en bladerde er wat in, maar van lezen kwam het niet; er drong niet één woord tot me door.
Rond tien uur zoefde de haldeur open en kwamen ze binnen. Ik sprong bijna uit mijn fauteuil, maar wist me te beheersen. Er trok een glimlach over mijn moeders gezicht. Ze kwamen bij me zitten. Ik zei niets.
'Alors', begon papa en ik voelde mijn hart in m'n schoenen zinken. Keek hij niet bedenkelijk? Was Alex afgekeurd?
'Alors', zei hij weer. En vervolgde, na een lange pauze: 'Dit is het eerste vriendje bij wie ik wel een goed gevoel kreeg. Hardwerkende jongen. Heeft z'n toekomst goed uitgestippeld. Eerlijke jongen ook. Hij vertelde zonder terughoudendheid over alles wat hij heeft meegemaakt en spaarde zichzelf daarbij niet. Was ook heel eerlijk over jou. Begrijpt jullie problemen. Wat zal ik ervan zeggen?'
'Ach, houd toch op, man!' onderbrak mijn moeder hem. 'We vinden het gewoon een prima jongen. En als het tussen jullie goed blijft, wat ik me nog maar afvraag, kunnen we jullie alleen maar gelukwensen.'

Kijk, dat zijn nou mijn ouders. Ik vergat het decorum, sprong overeind en omhelsde ze allebei vurig. Twee oude dames die aan een tafeltje verderop zaten, keken afkeurend, maar dat zou me een zorg zijn.
'Jawel, maar hoe nu verder?' Dat was papa. 'Hij heeft z'n werk hier en wij gaan straks weer naar huis. Hoe wil je dat gaan oplossen?'
Ik wist het op dat moment ook niet, maar ik was vol vertrouwen dat alles in orde zou komen.
'Laten we naar de bar gaan', juichte ik. 'Ik trakteer op champagne!'
'Nou nou!' zeiden maman en papa tegelijk.

*

Ons vertrek uit het Trianon was nogal plotseling. Alex had de vorige dag nachtdienst gehad en was in geen velden of wegen te bekennen. De vorige avond had ik hem even gesproken, maar de receptioniste moest onderhand wel iets in de gaten hebben gekregen; ik hoopte maar dat ze haar mond zou houden. Alex liep naar het einde van de balie toen hij me zag komen, zodat we ongestoord met elkaar konden praten, maar ik kon natuurlijk niet doen wat ik wilde: zijn hand pakken, zijn gezicht strelen, hem kussen.
'Ik zal je meteen schrijven en ik kom naar je toe zodra ik mijn vrije dag heb', zei hij, met een gezicht alsof hij me uitlegde hoe ik bij het station moest komen, maar de toon van zijn stem verried hem.
'Ik geef je mijn adres en mijn telefoonnummer', zei ik al even

zakelijk. Hij gaf me een bloknoot en ik schreef. Onderaan het velletje zette ik erbij: 'Ne m'oublie pas!'
Hij las het briefje, maar zijn gezicht bleef in de gastenstand. 'Ik zal u uitleggen hoe u er het snelste komt,' zei hij luid, pakte een ander velletje en begon te tekenen. Toen hij me het blaadje gaf, zag ik dat hij een groot hart had getekend, met de woorden 'Je 't aime!!' Jawel, met twee uitroeptekens.
De receptioniste kéék. Alex vouwde het velletje op en gaf het me. 'Merci monsieur. Au revoir.' Wat moest ik anders? 'Chéri!' fluisterde ik er snel achteraan. Maar toen moest ik echt weg, want ik kreeg het idee dat er ook andere gasten naar ons keken.
De volgende ochtend hadden we ontbeten, mijn vader had de rekening betaald en een taxi naar het station besteld. We stonden in de hal te wachten, onze koffers om ons heen.
'Hij was er niet', zei mijn vader. Nee, dat wist ik ook wel. Na een nachtdienst ben je hard aan slaap toe. Het zou erg vreemd zijn als Alex nu al weer op zijn post zou zijn.
De portier gaf ons een teken: de taxi stond voor. De koffers werden naar buiten gedragen, wij volgden. Ik keek nog eens om me heen. Nee, natuurlijk geen Alex.
Ik stond op het punt in de taxi te stappen toen hij plotseling opdook. 'Ik kon je toch niet zo maar laten gaan!' zei hij, trok me achter een pilaar en nam me in zijn armen. Vanuit het hotel kon niemand ons zien. 'Pas toch op!' zei ik, maar dat deed Alex niet. Hij kuste me vurig en ik kuste hem terug.
'Ga maar gauw! Ik schrijf je en ik kom zo gauw mogelijk naar je toe.'
Ik kuste hem nog één keer en holde naar de taxi. Alex bleef bij de

pilaar staan en wuifde totdat ik hem niet meer kon zien.
'Het is wel allemaal erg heftig, vind je ook niet? Benieuwd of dit zo blijft.' Mijn vader had natuurlijk gelijk. Vier hele dagen kenden Alex en ik elkaar! Plotseling kreeg ik het een beetje benauwd.

*

Maar Alex hield woord en de posterijen hadden hun best gedaan: op de tweede dag na onze terugkeer in Lure lag er een dikke brief voor me in de brievenbus. Frans spreken deed Alex vrijwel vloeiend – zij het dan ook met een licht buitenlands accent – met Frans schrijven bleek hij meer moeite te hebben. Nu weet ik wel dat onze schrijftaal niet echt eenvoudig is. Ik had het op school wel gemerkt. Mijn medeleerlingen – en ikzelf ook trouwens, laat ik daar niet moeilijk over doen – sloegen de plank nogal eens mis als het om spelling en grammatica ging. Maar ik heb het Frans in de brieven van Alex altijd schattig gevonden. Weer zo'n Nederlands woord dat zo goed klinkt voor het bijbehorende begrip: schattig. Wij zeggen dan 'mignon' of 'joli'. Klinkt toch heel anders, afstandelijker. Ik heb in de loop van de tijd een aardig mondje Nederlands geleerd – hoewel ik me ervan bewust ben dat ik een vet Frans accent heb – en schattig is een van mijn lievelingswoorden geworden.
Ik schreef meteen terug en de eerste twee weken hadden we bijna om de dag schriftelijk contact. Dat werd later natuurlijk minder: we hadden elkaar alles over onszelf verteld wat er te vertellen viel en verder gebeurde er in ons beider leven niet zo veel bijzonders.

Alex schreef wel over zijn werk in het Trianon, kleine voorvallen, de manier waarop hij de gang van zaken in het hotel bestudeerde, de keuken, waar hij een vaste gast was en veel met de chef-kok praatte, zijn baas, de hotelmanager, die niet altijd even vriendelijk tegen hem was – had hij anders verwacht dan? – en dergelijke dingen. Maar het horecaleven heeft me nooit echt geïnteresseerd, het spijt me dat ik het nu moet zeggen.
En we belden, of eigenlijk: Alex belde meestal, omdat hij in het Trianon niet altijd te bereiken was. Als de telefoon bij me thuis rinkelde, was het tot nu toe vrijwel altijd voor mijn ouders geweest. Nu was ik er altijd als eerste bij als de telefoonbel overging. Als de stem aan de andere kant van de lijn van Alex bleek te zijn, maakte mijn hart altijd even een sprongetje. Hij kon nooit lang bellen, behalve als hij in zijn favoriete barretje zat. Achteraf heb ik ook begrepen dat hij als stagiair verschrikkelijk weinig verdiende en dus niet veel geld kon uitgeven. Ik was gewend aan een zorgeloos leventje, met een ruime toelage. Bij ons thuis was geen geldgebrek en ik had me nooit bekommerd om gebrek of armoede. Totdat maman me erop opmerkzaam maakte dat het met Alex wel even anders zou liggen. Dat een stagiair van nog geen dertig beslist geen topsalaris kreeg. Ik heb me toen wel even diep geschaamd dat ik maar voor lief nam dat hij zoveel geld voor me uitgaf.

*

Alex kondigde telefonisch aan dat hij een dagje naar Lure zou komen. Als het mocht, tenminste. Als het mocht? Ik was de hele

dag voor zijn komst in een euforische bui. Ik huppelde door het huis, plaagde de dienstbode en dartelde om mijn moeder heen, die het allemaal nogal gelijkmoedig opnam, hoewel ze af en toe haar wijze hoofd schudde.
Wat doe je eigenlijk vreemd als je verliefd bent, hield ik mezelf voor. Maar hoe heerlijk was het niet om verliefd te zijn! En ik voelde ook dat het om méér ging dan een gewone verliefdheid. Ik hield van Alex. Hij verstond de kunst om me met beide voeten op de grond te zetten, waar ik tot dan toe nogal luchtigjes overheen had gestruikeld. Het voelde als thuiskomen, als geborgenheid, als... Ik wist niet precies hoe ik het onder woorden moest brengen, maar het was vertrouwd, alsof het altijd al zo was geweest. Het gaf me een gevoel van veiligheid.
Toen ik hem rond elf uur op het stationnetje van Lure opwachtte, bonsde mijn hart alsof ik voor het eerst een afspraakje met een man had. En eigenlijk was dat ook een beetje zo. Maar toen hij uit de trein sprong en me in zijn armen nam, werd het gevoel van veiligheid alleen maar sterker. Ondanks het feit dat we elkaar nog maar pas kenden, wist ik dat we voor elkaar bestemd waren. Dat mag misschien een beetje klinken als een dweperig jong meisje, maar ik wist dat het ditmaal ernst was. En eigenlijk was ik immers al geen jong meisje meer...
We zijn na de lunch gaan wandelen. En hebben gepraat. Honderduit. We kwamen natuurlijk in het woud terecht – want ander landschapsschoon is in Lure moeilijk te vinden – en daar, in de Rue de la Reigne, op het bruggetje over de rivier de Reigne, heeft Alex me ten huwelijk gevraagd. Ik heb ja gezegd. Natuurlijk heb ik ja gezegd. Uit de grond van mijn hart.

We hebben ernstig met mijn ouders gepraat. Alex legde uit dat ik zijn huwelijksaanzoek had aangenomen en vroeg mijn vader officieel om mijn hand. Die arme schat keek een beetje verward, want dat was hem nog niet eerder overkomen! Maar hij hield zich flink en als een echte pater familias gaf hij plechtig zijn toestemming. Maman moest een traantje wegpinken, want ook dat hoort zo, als je je dochter weggeeft.
Maar Alex was wel duidelijk over zijn plannen. Eerst zijn stageperiode afsluiten, dan in zijn eentje terug naar Amsterdam, daar zijn zaken regelen en pas dan zouden we trouwen. In Nederland dus.
'O nee,' onderbrak papa hem. 'Daar komt niets van in. Jullie trouwen hier. Dacht je dat ik me de kans zou laten ontglippen om een huwelijksfeest voor mijn enige kind te geven? Geen denken aan.'
Alex keek een beetje bedenkelijk. Hij hield er niet van als zijn plannen gedwarsboomd werden, dat had ik al eerder gemerkt. 'En over de kosten hoef je je geen zorgen te maken,' preciseerde mijn vader, 'want die neem ik uiteraard voor mijn rekening.' En Alex gaf toe, na nog even te hebben gesputterd. Zo werd het afgesproken, zo zou het gaan.

9

Dichter bij De Molen

Laat in de avond van die dag neemt Lex de laatste trein naar Parijs. Het afscheid is natuurlijk voor geen van beiden gemakkelijk, maar Thérèse weet zich gesterkt door hun afspraken en bereidt zich voor om zo veel mogelijk met haar verloofde samen te zijn, ondanks Lex' drukke werk. Thérèses moeder vindt dat ze zich inderdaad maar als verloofd moeten beschouwen en dat Lex haar maar meteen maman moet gaan noemen. Dat gaat hem nog niet gemakkelijk af, gewend als hij is aan wat formelere omgangsvormen. En papa zeggen tegen Thérèses vader zit hem al helemaal niet lekker, dus draait hij er nog maar een beetje omheen, iets waarom Thérèse heimelijk moet grinniken.
'Ik kom zo gauw mogelijk terug', belooft Lex, maar Thérèse vindt dat zij nu aan de beurt is om naar Versailles te komen, 'want anders kost het je te veel geld', zegt ze moederlijk. Ze weet natuurlijk niet dat Lex inmiddels al een behoorlijk kapitaaltje bij elkaar heeft gespaard. Van zijn deel van de opbrengst van het appartement van Betty, van zijn bemiddeling tussen hotelgasten en prostituees en van zijn zaakjes met Edo Bomhof. En natuurlijk van zijn salaris in het Atlanta, want hij heeft nooit veel uitgegeven. Maar hij laat Thérèse maar in de waan dat hij van zijn schamele stagevergoeding moet rondkomen. Dat komt hem wel zo goed uit.
Ze zwaait hem zo lang uit totdat de trein nauwelijks meer te zien

is, en Lex al helemaal niet meer, en gaat met een hoofd vol gedachten naar huis. Een gelukkige vrouw, dat is ze zeker. Na niet meer dan een paar weken na de kennismaking al verloofd, hoe is het mogelijk? Ze bedenkt er bij dat haar ouders ook wel erg toegeeflijk zijn geweest met betrekking tot de stormachtige romance van haar en Alex, zoals ze Lex blijft noemen. Ja, ze houdt echt van hem. En die periode tot mei 1953 zullen ze elkaar zoveel mogelijk gaan ontmoeten. Om elkaar nóg beter te leren kennen. En om te bekijken of hun liefde stand houdt, maar eigenlijk twijfelt Thérèse daar niet aan. Ze huppelt niet naar huis, want twintigjarige dames huppelen niet, maar ze heeft er wel erg veel zin in. Thuisgekomen omhelst ze maman en fluistert in haar oor dat ze zo verschrikkelijk gelukkig is.
'Heel goed', zegt haar moeder, gelijkmoedig als altijd, en ze drukt een liefdevolle kus op de verhitte wang van haar dochter. Maar van binnen voelt ze twijfel. Lopen die twee niet veel te hard van stapel? En ook Thérèses vader zit af en toe in zijn studeerkamer voor zich uit te kijken. Denkend aan het grote avontuur dat zijn dochter gaat beginnen. Op het eerste gezicht lijkt hij misschien wat afwezig en onverschillig. Maar Thérèse blijft toch zijn lieveling en hij wil voor haar alleen het allerbeste.

*

De tijd gaat snel. De geliefden schrijven en bellen dat het een aard heeft en zeker eenmaal in de veertien dagen ontmoeten ze elkaar, of in Versailles, of in Lure. Er wordt veel gepraat, natuurlijk vooral over de toekomst, zoals alle jongverloofden nu eenmaal doen.

‘Waar gaan we eigenlijk wonen?’ Thérèse ziet al een knus huisje voor zich, in een straat met veel bomen, met gebloemde gordijnen, een moderne keuken, een groot dubbel bed en veel bloemen in de vensterbank.
‘Ik denk dat we eerst in het Atlanta Hotel terecht moeten zien te komen. Er heerst woningnood in Nederland en in Amsterdam is het ’t ergste. Dus reken er niet op dat we meteen een woning zullen vinden,’ zegt Lex praktisch.
‘Ach, we zijn gewend aan hotels.’ Thérèse zegt het een beetje ondeugend. Bij haar eerste bezoek aan het Trianon – waar ze als hotelgast werd ingeschreven en natuurlijk was ze dat ook – is Lex ’s nachts naar haar kamer geslopen. Hij had gezegd dat hij zou komen en Thérèse lag in haar mooiste nachtjapon met bonzend hart te wachten op het bescheiden klopje op de deur. Het was een onstuimige nacht geworden. Lex was heel lief en teder voor haar geweest en ze had nooit geweten dat seks zo heerlijk kon zijn. Veel ervaring heeft ze niet en ze is nog maagd als ze Lex leert kennen. Het is in die jaren voor een Frans meisje van goede komaf vrijwel ondenkbaar om seks vóór het huwelijk te hebben. In haar vorige relaties is het ook altijd bij kussen en hooguit een beetje onbevredigend friemelen gebleven. Dat friemelen gebeurde eigenlijk maar twee keer, en dan alleen nog een beetje met Christophe. Honoré was hyperbeleefd, maar ook hypersaai, dus die hield zijn handen angstvallig thuis en Jean-Louis heeft ook nooit iets met haar geprobeerd, maar dat klopte wel, want die bleek dus meer op mannen te vallen.
Lex is nog één keer in het hotel met haar naar bed geweest, maar hij vond het tenslotte toch te gevaarlijk worden. Daar had hij ook

wel gelijk in vindt Thérèse, maar ze denkt met een blos op haar wangen terug aan die twee keer. Met vertedering ook, hoe lief Lex voor haar was geweest en hoe zorgvuldig hij ervoor had gezorgd dat ze niet zwanger zou kunnen worden.
De paar keren dat hij in Lure bij haar thuis heeft overnacht, hebben ze het niet gewaagd om verder te gaan dan elkaars handen vasthouden, kussen en wat knuffelen. Er was geen sprake van 's nachts naar elkaars kamer sluipen. Want meneer en mevrouw De Beaufort mogen nog zo tolerant en modern zijn, dát durft Thérèse toch niet te riskeren. Ze vindt zichzelf toch nogal behoorlijk stout en ze durft er ook niet met maman over te praten. Die dingen houdt een welopgevoed meisje voor zichzelf, heeft ze geleerd, en welopgevoed is ze.

*

Ze heeft wel veel over kinderen nagedacht. Het liefste zou ze meteen samen met haar Alex een kind krijgen, maar die weet haar te temperen. Eerst moet 'alles geregeld zijn', zoals hij altijd zegt. Trouwen, wonen, werk, inkomsten. Tot dan toe wil hij geen kinderen. Later, ja, over een paar jaar misschien. Thérèse schikt zich en probeert 'verstandig' te zijn. Ze begrijpt ook wel dat ze niet overhaast te werk moeten gaan. Maar haar moederinstinct is wel gewekt en het gaat nogal te keer.
Ze durft pas na lang aarzelen met haar moeder over het krijgen van kinderen te praten, maar ook die zegt dat ze eerst maar eens moeten afwachten of deze liefde wel standhoudt en dat ze na het huwelijk niet aan kinderen moeten beginnen voordat ze zeker zijn

van een woning en een vast inkomen. Net als Lex dus eigenlijk, en als Thérèse dat zegt, knikt maman. 'Een verstandige jongen. Had ik al eerder gedacht.'
Zo komt de dag steeds dichterbij dat de stageperiode van Lex afloopt en hij terug naar Nederland zal gaan. Thérèse voelt een koude klomp in haar maag als ze aan dat moment denkt. Maar hij heeft beloofd dat hij zo snel mogelijk naar Frankrijk zal terugkeren en dan gaan ze trouwen. Als ze zich dat realiseert, verdwijnt die klomp weer. Het afscheid is achteraf ook eigenlijk wel meegevallen. Dat kwam vooral doordat Thérèse zich voortdurend heeft voorgehouden dat Lex weer heel snel van zich zou laten horen en daar in het verre Amsterdam alle voorbereidingen aan het treffen is die hij nodig acht. Ze is bovendien samen met maman zó druk bezig met haar aanstaande huwelijk dat er weinig tijd overblijft om te gaan zitten piekeren.
'Je zult toch eens aan je uitzet moeten gaan denken, chérie', heeft maman een paar weken geleden al gezegd, maar daar heeft Thérèse niet zo veel oren naar. Er is immers een grote kans dat Lex en zij eerst tijdelijk in het Atlanta zullen gaan wonen. Wat moet ze dan met twaalf lakens, vierentwintig kussenslopen en twaalf badhanddoeken? Ze vindt het trouwens toch maar onzin, zo'n uitzet. Ze ziet het immers aan de kasten van maman: daar liggen stapels ongebruikte onderkleding, vergelend beddengoed en andere, klaarblijkelijk zo nodige elementen van de uitzet van een Franse jongedame. Eigenlijk is haar moeder het wel met haar eens. Maar haar kleding moet absoluut in orde zijn. En niet te vergeten: de bruidsjurk! De dames besluiten een dagje naar Belfort te gaan, de dichtstbijzijnde wat grotere stad, en daar eens ferm inkopen

te gaan doen. En dat zorgt er dan weer voor dat Thérèse Lex even niet zo erg mist, want winkelen durft ze gerust onder haar grootste liefhebberijen te rekenen. En verder heeft haar vader een leraar Nederlands voor haar opgescharreld en is ze drie keer in de week bezig zich die onmogelijke taal eigen te maken.

*

'Ik ben blij om je terug te zien, jongen!' zegt Willem Rijsenbrij en hij meent het. 'Waar is die verloofde van je?' Want Lex heeft de directeur-eigenaar van het Atlanta Hotel tijdens zijn stageperiode nauwkeurig op de hoogte gehouden van zijn vorderingen in Versailles en kon daarbij natuurlijk niet om zijn romance met Thérèse heen. Hij legt uit dat ze in Frankrijk op hem wacht, dat ze zo gauw mogelijk willen gaan trouwen en hij vraagt Willem meteen als zijn getuige, die dat gevleid accepteert.
'Maar laten we het eerst eens over je toekomst hier hebben', zegt Willem. 'Ik had je beloofd dat je na je stageperiode assistent-manager van het Atlanta zou worden. Maar ik ben van gedachten veranderd.'
Er rinkelt een alarmbel in Lex' hoofd. Van gedachten veranderd? Gaan zijn mooie plannetjes in rook op?
'Weet je,' zegt Willem, 'ik kan in Spanje een restaurant kopen. In Benalmádena, aan de Costa del Sol. Het is een chique tent, vrij modern, het bestaat pas een jaar of vijf. Maar het heeft zijn sporen al verdiend: de keuken is binnen en buiten Spanje vermaard. De eigenaar is een goede vriend van me en hij heeft me al een paar jaar geleden verteld dat hij er onderhand mee wil ophouden.

Hij is nu zeventig geworden, wil stoppen met werken, zijn zaak verkopen en heeft het restaurant aan mij aangeboden. Op heel gunstige condities. Eigenlijk een aanbod dat ik niet kán afslaan.'
Lex heeft scherp toegeluisterd en is er nog steeds niet gerust op. Waar komt híj nu te staan? Hij schraapt zijn keel en wil wat gaan zeggen, maar Willem Rijsenbrij heft zijn hand op.
'Even wachten. Het Atlanta loopt goed, dat wil ik niet kwijt. Maar ik kan er niet blijven werken, dat zul je begrijpen. Al mijn aandacht zal de eerste vijf, zes jaar naar dat restaurant in Spanje gaan. Daarom wil ik jou vragen om directeur van dit hotel te worden, manager, als je het zo wilt noemen.'
Het duizelt Lex. Een onverwachte mogelijkheid dient zich plotseling aan. Zijn eigen hotel! Nu komt zijn carrière in een stroomversnelling. Hij probeert kalm te blijven, maar inwendig zit hij te juichen.
'Tja, daar moet ik eens even over nadenken', zegt hij gemaakt rustig. 'Op welke voorwaarden had je gedacht dat ik dit zou moeten doen?'
'Nou, luister!' zegt Willem en buigt zich over de tafel naar Lex toe. 'Ik had zó gedacht...'

*

'De helft van de bedrijfswinst is voor mij!' roept Lex enthousiast in de telefoon. 'En een jaarlijkse bonus, afhankelijk van het bedrijfsresultaat. Dan nog een salaris, dat nog niet zo erg hoog zal zijn, maar dan hebben we wél vrij wonen in het directieappartement van het Atlanta! Vind je het niet fantastisch, lieveling?'

Thérèse raakt er al even opgewonden van als Lex. Ze wordt de vrouw van een hoteldirecteur! Maar ook is ze niet op haar achterhoofd gevallen: 'Hoe hoog is die bedrijfswinst en die bonus? En wat is je salaris eigenlijk?'
'Goed zo, chérie', bromt haar vader op de achtergrond. 'Laat je niet met een fooi afschepen!' Thérèse werpt hem een snelle blik toe, maar zijn gezicht staat neutraal.
Lex noemt bedragen, houdt af en toe een slag om de arm. 'Het is nog niet allemaal uitonderhandeld, maar dit is het voorlopige resultaat. Ik ga nog verder met Willem in gesprek en ik sleep er voor mij… voor ons alles uit wat ik kan! Reken er maar op dat ik binnen een week of zo naar Lure kom voor een bruiloft! Heb je al een getuige? Ik neem Willem mee. En nu moet ik ophangen, want Willem en ik gaan samen dineren en praten dan verder. Ik hou van je en ik verlang verschrikkelijk naar je.'
'Bel je me gauw weer?' roept Thérèse ademloos, 'vertel me alles wat jullie hebben besproken!' Maar Lex heeft de hoorn al op de haak gelegd.
'Hij wordt directeur', zegt ze trots tegen haar vader.
'Dan hoop ik dat hij een directeur wordt die zijn vrouw kan onderhouden', merkt papa droogjes op. 'Een titel staat nog niet altijd garant voor een onbezorgd leven. Kijk naar mij!'
'Professeur', schampert zijn dochter, terwijl ze haar armen om zijn nek slaat. 'Je hebt nogal te klagen! Wij leven er immers comfortabel van. En Alex krijgt de helft van de bedrijfswinst én een jaarbonus én een salaris, wat dacht je daarvan?'
'Ja, en wat gebeurt er als hij geen winst maakt? Of als de bedrijfsresultaten slecht blijken te zijn? En hoe hoog is dat salaris

dan wel?'
Thérèse snoert hem de mond met een stevige pakkerd. 'Ik vertrouw erop dat Alex slim genoeg is om het maximum uit de onderhandelingen te halen.'
Papa lacht. 'Ja, dat geloof ik ook wel. Als je straks maar niet voor onplezierige verrassingen komt te staan.'

*

Ze heeft na lang wikken en wegen besloten dat ze haar beste vriendin Cécile als getuige wil hebben. Die vindt het heel spannend allemaal. Ze heeft Lex al eens ontmoet en is best onder de indruk van hem. Maar ze vindt het ook een hele stap voor Thérèse, met een buitenlander trouwen en in Nederland gaan wonen.
'O, maar je komt natuurlijk heel vaak bij me logeren!' roept haar vriendin zorgeloos. 'Dan gaan we in Amsterdam winkelen en taartjes eten.'
'Neem je het allemaal niet te gemakkelijk op?'
'Het komt goed', verzekert Thérèse. 'We houden immers van elkaar. Dan let je niet zo gauw op dingen die misschien minder goed zouden kunnen gaan.'
'Ik help het je hopen. En hoe moet dat met die taal? Nederlands is zo ingewikkeld, begrijp ik van Alex.'
'Ik ben immers al met Nederlandse lessen begonnen en het gaat best snel. "Iek hoo van joo", dat betekent "je t'aime". Dat weet ik in elk geval al. Een erg belangrijk zinnetje!'
Cécile glimlacht. 'Als je maar geen heimwee krijgt.'
'Heimwee naar Lure?' proest Thérèse. 'Weinig kans! Ja, mijn

ouders, die zal ik in het begin missen. Maar Alex en ik zijn bij elkaar en dat gaat boven alles.'
Toch is ze volwassen genoeg om te begrijpen dat het niet altijd rozengeur en maneschijn zal kunnen zijn, maar het belangrijkste is immers dat Alex en zij van elkaar houden. Dat liefde altijd alles overwint, daar is Thérèse zeker van.
Cécile mag haar bruidsjurk zien. Hij is eenvoudig, maar wel chique. Crèmekleurig, met decente blauwe versieringen, een wijde rok en een diep decolleté.
'Gewaagd hoor,' vindt Cécile. 'Je kunt het wel hebben, maar vind je het niet een beetje… eh… Hoe zal ik het zeggen? Provocerend?'
Thérèse schatert. 'Die sjaal valt er overheen, gek! Kijk zó: de slippen worden hier door die gesp vastgehouden. Die heb ik van maman gekregen en die heeft hem weer van haar moeder. Het zijn echte saffieren.'
'Jullie trouwen niet in de kerk, wel?'
'Nee. Alex is Joods, maar hij is absoluut niet gelovig. Dat heeft hij door de oorlog definitief afgeleerd, zegt hij. En je weet dat wij ook nooit naar de kerk gaan. Maman is wel katholiek, geloof ik, maar papa gelooft niets. Dat komt volgens hem door zijn beroep.'
'Mensen zullen jullie erop aankijken', vreest Cécile.
'Ik denk het niet. Ze kennen ons hier immers onderhand wel en ze hebben ons toch geaccepteerd? En al kijken ze er ons op aan, wat dan nog?'
Cécile zwijgt. Ook al is ze een jaar jonger dan Thérèse, ze is een stuk minder vooruitstrevend. Diep in haar hart benijdt ze haar vriendin. Om het gemak waarmee die haar omgeving bekijkt, de

luchtige, maar doortastende manier waarop ze problemen aanpakt, de losheid waarmee ze de wereld betreedt.

*

Lex heeft nagedacht over het voorstel van Willem en besluit dat hij het onderste uit de kan wil halen. Hij heeft heel goed in de gaten dat de eigenaar van het Atlanta staat te popelen om naar Spanje te vertrekken en maar al te graag een deal met hem zal willen sluiten. Dus zal hij daarvan zien te profiteren. Het gesprek vindt ogenschijnlijk plaats in alle kameraadschappelijkheid, onder een voortreffelijk etentje met uitstekende wijnen, maar beiden blijven duidelijk bij de les. Er wordt in feite hard onderhandeld. Willem herhaalt zijn aanbod, Lex stelt daar eisen tegenover: hij vraagt om een contract voor vijf jaar als directeur, met een goed salaris en vrij wonen voor hem en zijn vrouw in het directieappartement van het hotel. De keuze van de hoogte van een jaarlijkse bonus laat hij aan Willem over, afhankelijk van zijn functioneren, maar hij neemt wel op zich het Atlanta winst te laten maken. En van die winst eist hij dertig procent op.
'Je bent een harde onderhandelaar', zegt Willem, niet helemaal op zijn gemak. 'En wat blijft er voor mij over?'
Lex haalt zijn schouders op. 'Je blijft natuurlijk gewoon eigenaar van het hotel en dat vertegenwoordigt toch een heel kapitaal. Verder strijk je zeventig procent van de winst op, voor zover ik die niet voor noodzakelijke investeringen moet gebruiken. En na die vijf jaar kun je me natuurlijk zonder meer door een ander vervangen, als je niet tevreden over me bent.'

De onderhandelingen gaan door tot na middernacht, maar dan zijn ze het ook eens geworden. Lex' inkomen en onderdak voor Thérèse en hem zijn voor de eerstkomende vijf jaar verzekerd. Ze schudden elkaar de hand. 'Ik lijk wel gek', zegt Willem. 'Mijn hotel overlaten aan een broekie dat net komt kijken en dat geen diploma's van enige betekenis heeft!'
'Maar een broekie met een hoop ambitie en al evenveel ideeën en werkkracht', vult Lex aan. 'En inmiddels met een niet weg te cijferen ervaring in de horecabranche.'
Dat moet Willem toegeven. 'Ik zal morgen mijn advocaat bellen en een contract laten opmaken. En nemen we er nu nog eentje?'
'Nee, dank je', antwoordt Lex. 'Ik ben erg moe en ik wil graag naar bed. Vanmorgen zat ik nog in Frankrijk en ik ben de hele dag hard bezig geweest.'
Zó moe is hij eigenlijk niet, maar hij wil nu even naar zijn kamer in het Atlanta, om een plannetje uit te gaan stippelen. Hij besluit Thérèse nu maar niet meer te bellen. Morgen zal hij dat doen, nadat hij nog een andere zaak heeft aangepakt. Hij zit aan het bureau op zijn kamer, rekent, wikt, weegt. En gaat later met een tevreden gevoel slapen.

*

Hij heeft de volgende ochtend eerst een lang gesprek met Atlanta's vaste gast Waardenburg gehad. Ook die was blij Lex weer terug te zien en ze hebben indringend met elkaar gesproken. Daarna is hij naar Amstelveen gereden, op zijn trouwe motorfiets, die in de parkeergarage van het Atlanta voor hem klaar stond en door het personeel prima is onderhouden. Lex had toestemming gegeven om het voertuig te gebruiken, mits het bij zijn terugkeer rijklaar op hem zou staan te wachten.

Als De Molen in het gezicht komt, zet hij de motor stil en blijft even naar het gebouw kijken. Het is helder, koud weer en de wieken van de molen tekenen zich scherp af tegen de blauwe lucht. Lex krijgt weer dat opwindende gevoel dat hij het restaurant beslist moet zien te krijgen. Hij rijdt het parkeerterrein op en gaat naar binnen.

Er zijn nog geen bezoekers op dit uur van de ochtend. En er is een andere manager dan twee jaar geleden. Een wat nurkse man van een jaar of vijftig, die hem vertelt dat meneer Hoedemaker, de eigenaar van De Molen, inderdaad in het restaurant op zijn kantoortje zit. En waarover het gaat?

'Dat vertel ik meneer Hoedemaker liever zelf', zegt Lex een beetje bits.

De eigenaar is ouder dan Lex had verwacht. Een lange, wat gebogen man met wit haar die achter een vrijwel leeg bureau zit.

'Vertelt u het maar, meneer... eh...'

'Presser', herhaalt Lex. 'Lex Presser. Laat ik maar meteen met de deur in huis vallen, meneer Hoedemaker: ik wil De Molen van u kopen.'

Hoedemaker zwijgt en neemt Lex met zijn staalblauwe ogen aandachtig op. Die ogen doen Lex aan die van Betty denken. Er valt een ongemakkelijke stilte en Lex staat op het punt om die te doorbreken als Hoedemaker zegt: 'En wat doet u denken dat De Molen te koop is?'

Lex haalt zijn schouders op. 'Als puntje bij paaltje komt, is alles

te koop.'
De man achter het bureau lacht. 'Kom kom, meneer Presser. Is dat niet wat overdreven? Of zullen we het maar aan uw jeugdige onbezonnenheid wijten?'
'Mijn excuses. Ik ben inderdaad een beetje overmoedig. Het komt u natuurlijk koud op uw dak vallen. Maar ik heb er lang over nagedacht. Laat me u eerst iets over mezelf vertellen.'
En Lex vertelt. Hij weet heel goed dat zijn levensverhaal wel een beetje op een spannend boek lijkt. Zijn ambitie om advocaat te worden en de politiek in te gaan, het gymnasium, de vlucht en verdwijning van zijn ouders en zuster, onderduiken op school en later in Drenthe. Hij siert zijn achteraf vrij comfortabele leventje in Valthermond flink op door te suggereren dat hij daar actief is geweest in het verzet. Zijn terugkeer na de bevrijding, een zogenaamd wanhopige zoektocht naar zijn ouders en zuster. Betty, hun huwelijk, zijn entree in de horecawereld. Zijn nieuwe ambitie, nu de oorlog zijn oude heeft vernietigd. Over het Atlanta Hotel en zijn functioneren daar spreekt hij maar liever de waarheid; Hoedemaker kan dat natuurlijk gemakkelijk navragen. Ook met zijn verblijf in het Trianon sjoemelt hij niet. Nou ja: hij noemt het geen stage en hij vertelt dat hij daar als assistent-manager heeft gewerkt, maar in het algemeen houdt hij zijn verhaal zo kloppend mogelijk. Hij vertelt over Thérèse en zijn aanstaande huwelijk. Ook zijn huwelijk met Betty heeft hij mooier gemaakt dan het is geweest. Als hij vertelt dat Betty van hem is gaan scheiden om achter een Amerikaanse hotelmagnaat aan te gaan en Jaap heeft opgeëist, laat hij verdriet in zijn stem doorklinken. Hij kijkt steels naar Hoedemaker. Die zit duidelijk geboeid te luisteren.

‘Tja, en nu ben ik dus directeur van het Atlanta Hotel. En zo staan de zaken op dit moment.’

*

‘Een boeiend verhaal, meneer Presser. U hebt veel meegemaakt en u uitstekend geweerd, denk ik.’ Hoedemaker kijkt uit het raam en zwijgt even. Dan zegt hij: ‘Maar nogmaals: waarom denkt u dat ik De Molen zou willen verkopen?’
Lex wordt onzeker. Tot nu toe heeft hij de indruk gekregen dat er wel een opening mogelijk zou zijn. Ook heeft hij zijn berekeningen uiterst zorgvuldig gedaan. Het móét kunnen. En hij zál het restaurant krijgen! Hij besluit op de gevoelige toer te gaan.
‘Ik weet het niet, meneer Hoedemaker. Maar ik ben emotioneel zeer gegrepen door dit restaurant. Het spookt voortdurend in m’n brein rond. Ik heb in gedachten al plannen gemaakt om er één van de meest toonaangevende restaurants van Nederland, wat zeg ik: van Europa van te maken.’
‘Toe maar, toe maar’, zegt de ander nadenkend. Opnieuw valt er een stilte.
‘Ik twijfel niet aan uw ambitie en enthousiasme, meneer Presser. Ook denk ik dat u genoeg in huis hebt om dergelijke plannen te verwezenlijken. Blijven twee vragen: wil ik verkopen en kunt u betalen?’
‘Ik denk niet dat u zich over dat laatste zorgen hoeft te maken’, zegt Lex zelfverzekerd. Hij heeft immers een eigen plan en een aanvullend noodplan. Hoedemaker kijkt hem lang aan en zwijgt.
‘Laat ik u om te beginnen vertellen dat de laatste jaren inderdaad

door mijn hoofd heeft gespeeld om De Molen te verkopen en met mijn vrouw – overigens ook een Française – op termijn stil te gaan leven in Frankrijk; ik ben altijd gek op dat land geweest.'
Lex heeft moeite om een juichkreet te onderdrukken, maar hij beheerst zich. Uiterlijk is er niets aan hem te merken, van binnen borrelt het. Hij begint nu dichter bij zijn doel te komen!
'Ik heb wel vertrouwen in u en vind uw geestdrift verfrissend. Ik denk dat u, als ik zou willen verkopen, in aanmerking zou kunnen komen als koper. Ik doe u een voorstel: ik schrijf op dit papiertje het bedrag dat ik voor De Molen wil hebben. U schrijft op dit papiertje wat u wilt betalen. Als het verschil niet onoverbrugbaar is, praten we verder.'
Lex knikt en laat zich een papiertje toeschuiven. Hij haalt zijn vulpen uit zijn binnenzak – een dure, van Thérèse gekregen, en hij ziet uit een ooghoek dat Hoedemaker goedkeurend naar het schrijfgerei kijkt – en schroeft de dop los. Wat zal hij opschrijven? Hoedemaker heeft het papiertje al opgevouwen en naar Lex toegeschoven als diens pen nog boven het papier zweeft. Meteen het alternatieve plan maar in de strijd gooien of zal hij het wagen om met het lagere bod te komen? Het zweet breekt hem uit. Als hij ziet dat Hoedemaker zit te wachten hakt hij de knoop door en krabbelt een bedrag op zijn papiertje, dat hij dichtvouwt en vóór Hoedemaker op het bureau legt.
Beiden openen de briefjes en bekijken zwijgend het bedrag. Dan plooit er zich een glimlach om Hoedemakers mond.
'Er is ook niets mis met uw zakeninstinct, meneer Presser. Het verschil is gering. We kunnen nu wel verder onderhandelen, dunkt me.'

Lex herademt. Wat een geluk dat hij meteen alles op alles heeft gezet! Met zijn lage bod was hij veel te ver uit de buurt van Hoedemakers vraagprijs gebleven. Nu ligt de toekomst als eigenaar van De Molen steeds vaster omlijnd voor hem.
'Drankje?' vraagt Hoedemaker en staat op. 'We kunnen in de bar verder praten. Er is nu niemand.'
Lex staat ook op en glimlacht. Hij voelt zich al overwinnaar.

10

Een droom wordt werkelijkheid

De bruiloft, begin juni 1953, is eenvoudig, maar zeker sfeervol geweest. Er waren niet veel mensen, maar dat kwam doordat Lex geen familie meer heeft – zijn oom Job uit Leeuwarden, het laatst overgebleven familielid, is al jaren geleden overleden – en ook de directe familie van de De Beauforts is maar heel klein; een zuster met haar man, een paar tantes, een oudoom en de krasse, tweeëntachtigjarige moeder van meneer De Beaufort. Natuurlijk zijn er meer Fransen dan Nederlanders op de bruiloft, maar dat is ook logisch.

De huwelijksvoltrekking zelf heeft op de mairie plaatsgevonden. De burgemeester, een vrolijke, gezette wijndrinker met een imposante snor, draagt trots de sjerp die bij zijn waardigheid hoort en houdt een toespraakje waarin 'amour' en 'notre ami Hollandais' veelvuldig voorkomen. De familie De Beaufort is zeer gezien in Lure; vandaar ook dat de burgemeester zelf Lex en Thérèse in de echt heeft verbonden en nu ook aan de lange tafel zit die onder de oude kastanjebomen in de ruime tuin van het huis van de De Beauforts is neergezet. Het is prachtig weer en bij het overvloedige bruiloftsmaal vloeit de champagne rijkelijk.

Na de plechtigheid op het gemeentehuis is het gezelschap beschaafd aan het feesten geslagen, want de familie heeft een stand op te houden, zegt papa en hij glimlacht daar sardonisch bij. Gezellig is het wel geworden. Cécile is er uiteraard bij, met haar

ouders, twee ex-collega's van Lex uit het Trianon en natuurlijk de burgemeester, die geen feestje in zijn stadje overslaat.
Hoewel de familie van de De Beauforts in het begin nog wat gereserveerd was, heeft men Lex toch snel geaccepteerd. Dat komt deels door zijn uitstekende Frans en daar zijn de mensen hier gevoelig voor. Ook Willem Rijsenbrij, die zich waardig van zijn taak als getuige heeft gekweten, oogst bewondering voor zijn kennis van de taal. Dat laat hij uitgebreid aan Cécile merken, van wie hij overigens zeer gecharmeerd lijkt te zijn.
Lex en Thérèse zitten, zoals het hoort, naast elkaar aan het hoofd van de tafel. De nieuwe madame Pressèr straalt. Ook Lex ziet er gelukkig uit; hij houdt de hand van zijn jonge vrouw vast, fluistert en lacht met haar. Maar Thérèse voelt intuïtief dat hij er niet steeds met zijn gedachten bij is. Heeft hij zijn nieuwe baan in zijn hoofd? Lex heeft haar nog niets over De Molen verteld.
Zoals het hoort, verdwijnen de jonggehuwden op het hoogtepunt van het feest, wat uiteraard iedereen ziet, maar net doet alsof ze het niet hebben gemerkt. Zo is de traditie. Als ze even later, in reiskleding weer verschijnen, klaar voor de huwelijksreis, gaat er een gejuich op en wordt het paar rumoerig uitgeleide gedaan naar de auto die klaar staat om hen naar het station te brengen en aan de bumper waarvan Willem en de ex-collega's van het Trianon traditioneel een sliert blikjes hebben bevestigd. Geheel in stijl vertrekt het echtpaar. Thérèse heeft haar vader en moeder stevig omhelsd en toen kwamen de tranen natuurlijk weer. Maar als de auto de hoek om is, nestelt ze zich tegen Lex aan en zegt: 'En nu begint er een nieuw leven!'

*

De treinreis duurt niet erg lang, want Lure ligt niet ver van de Zwitserse grens. Lex heeft voor een week een kamer gereserveerd in hotel Du Lac in Interlaken, aan de rivier de Aare die door het stadje loopt. Daar zal het paar de wittebroodsweken doorbrengen. Thérèse vindt het allemaal best spannend. Als kersverse echtgenote van een man op wie ze hopeloos verliefd is, zit ze nu in een chic hotel in Zwitserland en gaat ze een ongetwijfeld druk en enerverend leven in Nederland tegemoet. Alles is nieuw voor haar en ze geniet met volle teugen.
Als de bellboy hun koffers op de kamer heeft neergezet en zich, na een fooi te hebben geïncasseerd, buigend terugtrekt, slaat ze haar armen om Lex heen. 'Ik ben verschrikkelijk gelukkig, mon mari!' zegt ze. 'Verschrikkelijk gelukkig!' herhaalt ze in heel draaglijk Nederlands; alleen de 'schr' van verschrikkelijk klinkt alsof ze een keelaandoening heeft.
Lex lacht en kust haar teder. 'Je wordt nog eens een talenwonder', prijst hij. 'Je Engels is heel behoorlijk en daarnet heb ik je bij de receptie waarachtig Duits horen praten. En nu ook nog Nederlands, dan ben je een viertalenwonder.'
'Een talenknobbel en een uitstekende opleiding', zegt ze verwaand. 'Zullen we naar het restaurant gaan? Of zullen we eerst nog even...' Ze kijkt hem schuin aan, een glimlach om haar lippen.
'Daar kan geen man nee op zeggen', zegt Lex zacht en neemt haar in zijn armen.
Als ze later gearmd het restaurant binnen komen, schiet er onmid-

dellijk een kelner toe. 'Tisch für zwei, die Herrschaften?'vraagt hij en Thérèse antwoordt achteloos 'Bitte.' Lex schiet in de lach, maar trekt zijn gezicht meteen weer in de plooi.
'Heel goed', fluistert hij, en tegen de kelner: 'Ik weet niet of u 't weet, maar er zit een grote vlek op uw vest.' De man kijkt naar beneden, bloost, bedankt verward en verdwijnt naar achter. Als hij terugkomt met de menu's blijkt hij bliksemsnel een schoon vest te hebben aangetrokken.
'Nogmaals bedankt, meneer', zegt hij zacht. 'De gerant is niet gemakkelijk hier.'
Typisch Lex, denkt Thérèse. Zij komt in een hotel om vertroeteld te worden, Lex kijkt het eerste naar het gebouw en het interieur, het personeel en de dienstverlening en corrigeert waar nodig. Is dat nou de geboren hotelmanager?
'Goed zo, meneer de directeur', zegt ze zachtjes en Lex kleurt een beetje.
'Nou ja', zegt hij verontschuldigend. ''t Is toch zeker zo? Ik zie dat soort dingen nu eenmaal direct.'

*

Wat is een week kort! Ze wandelen in het stadje en in de omgeving, maken een rondvaart op de Thunersee, drinken koffie en wijn, waarvan Thérèse verbluffend veel verstand blijkt te hebben. Ze brengen veel tijd in het grote bed door, knuffelen en vrijen. En ze praten, praten, praten. Lex vertelt haar precies hoe hij de situatie in het Atlanta Hotel straks ziet. Hij heeft uitgelegd wat de positie van Willem Rijsenbrij is en dat hij Lex eigenlijk de vrije

hand heeft gegeven om het Atlanta te runnen, terwijl hij zich in Spanje op zijn nieuwe speeltje werpt.
En Lex heeft grote plannen die hij bij het vijf-uur-drankje in de bar ontvouwt. Hij wil het Atlanta exclusiever maken, de drie sterren die het nu in de hotelbeoordeling heeft naar vier of later zelfs naar vijf sterren tillen. Hij wil vooral het restaurant op een hoger niveau brengen, zodat welgestelden uit de hele stad en de omgeving het weten te vinden.
'Het is niet slecht zoals het nu is', zegt hij. 'Maar er is te weinig fantasie in de keuken. Chef-kok Barend draait op zijn routine, is me niet creatief genoeg. Er zal een nieuwe moeten komen, een chef van naam en met ideeën.'
'Dat kost geld', zegt Thérèse.
'Ja, maar dat hoeft niet veel te zijn. Barend verdient al een behoorlijke smak geld. En de wereld zit vol met chefs die een baan zoeken, dus dat gaat me maar heel weinig kosten. Maar dat is niet alles: ik wil bijvoorbeeld valet parking instellen. Nou, voor die functie kan ik iedereen van het personeel met een rijbewijs en een fatsoenlijk voorkomen vrij maken. Vergeet niet dat Willem destijds nogal overvloedig personeel heeft aangenomen. Alleen bij de keukenbrigade al zijn mensen die nauwelijks iets te doen hebben. Daar kan ik behoorlijk in snijden.' Hij kucht, kijkt naar zijn vrouw.
'En dan is er nog iets: ik wil een gastvrouw in het restaurant hebben. En daarbij heb ik meteen aan jou gedacht.'
'Aan mij? Ik ben zeer vereerd!' zegt Thérèse verrast. 'Maar dat kan ik toch niet? Ik heb geen horecadiploma's en ik heb nog nooit in een restaurant gewerkt. Ik weet niets van de horeca.'

'Dat kan wel zijn, maar voor gastvrouw heb je geen diploma's nodig. Alleen iemand met een goede opvoeding, een goede babbel en servicegerichtheid, die er aantrekkelijk uitziet. Dat past allemaal bij jou. Denk je eens in: de gasten van het Atlanta restaurant die door een mooie, jonge Française worden ontvangen! Is dat klasse of niet?'
Thérèses lach klatert door de bar.
'Je meent het, hè?'
'Ja, ik meen het', zegt Lex ernstig.
'Ben je daarom soms met me getrouwd?' vraagt Thérèse liefjes, maar toch met een zweem van argwaan in haar stem. Lex schrikt. 'Ben je gek!' zegt hij haastig. 'Ik ben met je getrouwd omdat ik 'verskrikkeliek' van je houd en nergens anders om!' Thérèse lijkt gerustgesteld, maar Lex denkt nog even aan het moment waarop hij dacht: zó iemand als gastvrouw in het Atlanta! En toen kenden ze elkaar nog nauwelijks.

*

En dan komt de volgende stap. Lex heeft Thérèse tot dan toe niets over De Molen verteld, maar daar kan hij nu niet langer mee wachten. Hij vertelt het verhaal als was het een sprookje, een droom die werkelijkheid is geworden. Zijn gesprekken met Hoedemaker. Het bod en het tegenbod. Het vervolg van de onderhandelingen en het resultaat. Lex zal over vier jaar, als Hoedemaker en zijn vrouw voldoende kapitaal hebben om in Frankrijk te gaan rentenieren, eigenaar van De Molen zijn en er een exclusief en gerenommeerd restaurant van maken.

'Maar waar denk je al dat geld vandaan te halen?' vraagt Thérèse ongelovig als ze de hoogte van de overnameprijs heeft gehoord.
'Ik heb gespaard. Al jaren. Ik ben niet aan mijn geld geweest sinds ik in het Atlanta ging werken. Alles heb ik opgepot, mijn salaris, het bedrag dat ik van mijn ex-vrouw voor ons appartement heb gekregen.' Hij noemt wijselijk niet het geld dat hij van zijn vader heeft gestolen, dat hij heeft verdiend aan zijn zaakjes met Edo Bomhof en aan zijn bemiddeling met de dames van lichte zeden. 'Dus de aanbetaling kon ik opbrengen. De rest, die ik in halfjaarlijkse termijnen moet voldoen, heb ik, zeg maar geleend.'
'Geleend? Van een bank?'
'Nee, ik ben niet zo gek op banken. Die zijn me te strikt. In het Atlanta woont een schatrijke, oude zonderling, meneer Waardenburg. Van hem heb ik de rest van de koopsom los gekregen. Tegen heel wat gunstiger voorwaarden dan ik ooit bij een bank had kunnen bedingen: hij mag van mij de rest van zijn leven gratis in het hotel wonen, zolang hij dat tenminste kan, en hij krijgt ook zijn eten gratis. Ik heb het natuurlijk van tevoren uitgerekend: de man is nu achtenzestig, dus het zal misschien nog een jaar of vijftien, hooguit twintig duren voordat hij niet meer op zichzelf kan wonen en naar een bejaardentehuis moet. Je weet dat een kamer een hotel in principe niets kost en alleen maar geld kan opleveren als hij gehuurd wordt. En dat eten? De prijs van een goede maaltijd gaat twee, drie keer over de kop. Dus als ik de kostprijzen van twintig jaar optel, is dat alleen al zo'n tien tot vijftien procent minder dan wat ik anders kwijt zou zijn geweest. Hij heeft me het geld dus niet echt geleend; het is eigenlijk een vooruitbetaling in termijnen voor zijn kamerhuur en zijn maaltijden. Ik moest

hem wel wat borrels voeren voordat hij bereid was een contractje te ondertekenen – dat ik van tevoren had klaargemaakt – maar hij hééft getekend en het geld is van ons. En hij hoeft dus zelfs niet de hele som ineens te betalen. Voor Waardenburg is het een uitstekende deal. En voor mij niet minder!' Lex kijkt zijn vrouw triomfantelijk aan. Heeft hij dat slim geregeld of niet?

*

'Maar...', zegt Thérèse aarzelend. 'Dan heb je die man dus eigenlijk opgelicht.'
'Opgelicht? Welnee! Hij heeft immers uit vrije wil het contract getekend.'
'Maar moet dat dan niet met een notaris of een advocaat erbij?'
'In Nederland is een door beide belanghebbenden ondertekende verklaring rechtsgeldig', weet Lex. 'En hij krijgt toch waar voor zijn geld? In feite betaalt hij in termijnen voor levenslange kost en inwoning, niets anders.'
'Maar dat levenslang is dus niet meer dan zo'n vijftien jaar. Daarna kan hij naar een bejaardenhuis en ben je van hem af. En moet hij opnieuw voor zichzelf gaan betalen.'
'Ja, maar nu vindt hij niet dat hij te veel betaalt, want hij heeft natuurlijk ook een beetje zitten rekenen. Hij houdt er alleen geen rekening mee dat zijn kamer ons in feite nauwelijks iets kost, behalve het schoonmaken, en zijn maaltijden maar een schijntje. Dus zo zijn we allebei tevreden.'
'Toch krijg ik het gevoel dat er iets niet helemaal klopt. Allebei tevreden... Ja, jij zéker! Maar als iemand die arme man voorre-

kent dat hij in feite bedrogen is...'
'Ach, bedrógen, bedrógen!' Lex wordt een beetje korzelig. 'Dat kun je toch geen bedrog noemen. Koopmanschap misschien. En Waardenburg mérkt het niet eens aan zijn bankrekening, daar is hij te rijk voor.'
Thérèse vraagt niet hoe Lex dat weet en Lex vertelt maar niet dat hij via Edo Bomhof achter de grootte van Waardenburgs fortuin is gekomen.
'Maar hoe wil je dat dan doen? Aan de ene kant het Atlanta runnen en in 1957 De Molen erbij? Dat kun je nooit alleen!'
'Nee,' zegt Lex, 'daar heb je gelijk in. En daarom, liefste, krijg jij De Molen van mij. Als huwelijksgeschenk. Ik heb er lang over nagedacht wat ik je zou geven, totdat dit me inviel. En je gaat het restaurant ook leiden, uiteraard met hulp van mij. Maar het is jóuw tent! Jij kunt hem inrichten zoals je wilt, personeel aannemen en ontslaan, de keuken leiden, noem maar op.'
Thérèse weet niet wat ze moet zeggen. Een schitterend huwelijkscadeau is het natuurlijk. Maar zit er niet heel erg veel berekening van Lex' kant bij? Ze zegt dat ook eerlijk.
Lex lacht. 'Natuurlijk zit er berekening achter, maar dat is niet ongewoon in het zakenleven. Voorop staat dat ik je met De Molen een mooi huwelijkscadeau kan geven. Daar ging het uiteindelijk om: ik piekerde me suf om een waardig cadeau voor je te bedenken en tegelijkertijd ging die zaak met De Molen spelen. Die twee zaken kwamen bij elkaar en ik heb me natuurlijk óók bedacht dat ik niet meteen twee bedrijven zou kunnen gaan leiden, dus ben jij er om de ervaring die je in het Atlanta opdoet voor De Molen te gebruiken. En zo grijpt alles prachtig in elkaar.'

*

Thérèse heeft niet meteen ja gezegd, ze wilde er nog eens uitgebreid over nadenken. Aan de ene kant trekt het nieuwe leven haar erg. Ze ziet zichzelf al als knappe, alwetende gastvrouw met de chique gasten van het Atlanta omgaan en later als bedrijfsleider in De Molen rondlopen. Ze is erg nieuwsgierig naar zowel het Atlanta als De Molen en stelt zich van beide veel voor. In dat opzicht popelt ze om aan haar nieuwe leven te beginnen. Vroeger had ze geen belangstelling voor de horeca, maar dat is langzamerhand veranderd, Natuurlijk vooral door Lex.
Aan de andere kant knaagt er iets. Iets onbestemds, iets wat niet goed voelt. Voelt ze zich gebruikt? Ja, in zekere zin wel. Wordt ze gemanipuleerd? Ze is daar niet zeker van. En ze weet ook dat ze alleen maar 'nee' tegen beide aanbiedingen hoeft te zeggen om de hele zaak niet te laten doorgaan. Maar ook is ze gefascineerd door de vasthoudendheid waarmee Lex probeert zijn idealen te verwezenlijken en wil ze daarbij graag naast hem staan en hem helpen. Alleen de manier waarop hij dat doet, zonder haar van tevoren te raadplegen, daar is ze niet zo blij mee. Maar ze weet ook dat, als Lex eenmaal iets in zijn hoofd heeft, hij als een stoomtrein doordendert. En dat vindt ze dan toch ook wel weer bewonderenswaardig. En eigenlijk ook wel vertederend.
'Als je denkt dat ik het aan kan...' zegt ze weifelend, de volgende dag aan het ontbijt.
'Dacht je dat ik het anders had voorgesteld?' vraagt Lex. 'Het zijn juist die eigenschappen die ik de laatste maanden bij je heb opgemerkt, waardoor ik ons al zag als een hecht en succesvol team

voor een sterrenhotel-restaurant en een exclusief sterrenrestaurant. Of je het aan kunt? Natuurlijk kun je dat! Wij zullen samen de horecawereld in Nederland wel eens gaan opschudden!'
Ze moet lachen om zijn enthousiasme. Ze heeft afgelopen nacht in bed liggen piekeren over de voors en tegens van haar nieuwe leven. Maar veel tegens heeft ze niet kunnen bedenken. Het waren vooral voors die haar te binnen schoten. En dus legt ze haar hand op Lex' arm en zegt: 'Ik doe het, chéri. Ik doe met je mee. En bedankt voor je fantastische huwelijkscadeau!'
Lex zoent haar dwars over de ontbijttafel midden op haar mond, zodat de gasten van het aangrenzende tafeltje snel een andere kant op kijken. Pasgetrouwden houden tegenwoordig steeds minder rekening met hun omgeving! Maar dat zal Lex een zorg zijn. Hij is enthousiast.
'We zullen samen een geweldig team vormen!' zegt hij en knijpt Thérèse in haar hand.

*

De wittebroodsweek is voorbij en het komt beiden eigenlijk prima uit. Ze popelen om aan hun nieuwe leven te beginnen. En het wordt inderdaad tijd, want Willem Rijsenbrij zit in Amsterdam al op hen te wachten. 'Niet langer dan een week!' heeft hij gedreigd. 'De rest haal je hier maar in.' Het klonk gekscherend, maar ook Willem zit op hete kolen. Hij heeft nog twee dagen uitgetrokken om zaken aan Lex over te dragen, maar in feite kent die het Atlanta beter dan hij. Dus is het meer een kwestie van beleefdheid en vriendschap om de zaak zo compleet mogelijk achter te laten.

Willem wil snel naar Spanje vertrekken, waar ook hij immers aan een nieuw leven zal gaan beginnen.
En zo staat Thérèse een paar dagen later onwennig in het directieappartement van het Atlanta en kijkt om zich heen. Het is in elk geval een stuk luxueuzer dan bij haar thuis in Lure en ruim genoeg, met een grote living, een flinke keuken en twee ruime slaapkamers. Voorlopig zullen ze hier heel goed uit de voeten kunnen. De bergruimte valt een beetje tegen, maar dat komt allemaal wel goed. Ze hebben immers een heel hotel tot hun beschikking!
Lex heeft haar aan het personeel voorgesteld. Als zijn vrouw natuurlijk, maar ook als de toekomstige gastvrouw van het restaurant. 'Praat zoveel mogelijk Nederlands met haar', heeft hij zijn mensen bezworen. 'Ze spreekt het al heel aardig, maar het kan nog beter. En houd goed in de gaten: zij wordt in feite de baas in het restaurant.'
Thérèse kijkt een beetje zuinig als Lex zo hard van stapel loopt en zegt dat ze nog een heleboel moet leren voordat ze als gastvrouw en restaurantmanager kan gaan werken en dat ze de hulp van iedereen bij haar nieuwe taken inroept. Ze zegt dat in het Nederlands, zo goed als ze kan, en dat is lang niet zo slecht. Chef-kok Barend neemt het woord, heet haar namens de keukenbrigade welkom in Nederland en zegt alle hulp en ondersteuning toe. Aardige man, vindt Thérèse, en ze beseft dat Barend in feite binnenkort misschien vervangen zal gaan worden. Maar daar denkt ze nu maar liever niet aan. Dat moet de zorg van Lex zijn, die op het moment met Willem de laatste zaken aan het afhandelen is. Thérèse laat zich langdurig en gedetailleerd het hotel en restau-

rant rondleiden en vraagt honderduit. Ze is vast van plan haar nieuwe taken gewetensvol en vooral deskundig aan te passen. En ze heeft nog een hoop te leren. Ze pakt het telefoonboek en zoekt naar een Nederlandse leraar. Als ze er een heeft gevonden, belt ze met hem en vraagt hem in het hotel – 'dans notre hôtel', zegt ze trots – langs te komen om nadere afspraken te maken. Daarna zoekt ze in de telefoongids onder 'horecaopleidingen', belt en maakt ook met hen afspraken. Haar eerste zelfstandige daad sinds Lex haar in het Atlanta heeft geïntroduceerd. Ze wil dat hij trots op haar kan zijn.

*

Drie jaar later. Lex staat in het Atlanta en kijkt tevreden om zich heen. De lobby is gemoderniseerd, ziet er nu onberispelijk uit. Achter de moderne balie staat een in bruin en oranje uniform geklede receptioniste en een eveneens geüniformeerde jongen, die als bellboy, baliehulpje en als parking valet dienst doet. Bruin en oranje, de modekleuren op dat moment, zijn ook de kleuren van Hotel Atlanta geworden. Alleen het restaurant wijkt daarvan af. Lex wil die scheiding handhaven en het restaurant een eigen leven laten leiden; het heeft dan ook een nieuwe naam gekregen: Le Chevalier, een idee van Thérèse, die haar vaders al dan niet adellijke titel te binnen schoot. Ze moet er een beetje om grinniken, maar Lex is uiterst tevreden over de nieuwe naam. Klinkt lekker, vindt hij. 'Het is origineel, er is in Nederland geen ander restaurant met die naam, en het spreekt gemakkelijk uit: 'Gaan we vanavond bij de Chevalier eten, schat?'

Hij heeft bij de heropening van het restaurant niet alleen de plaatselijke, maar ook de regionale en landelijke pers uitgenodigd. Zelfs enkele buitenlandse culinaire bladen kregen een invitatie en op de bewuste dag zat het restaurant dan ook vol met journalisten, die bijna zonder uitzondering gunstig over het nieuwe restaurant schreven, wat misschien ook wel een beetje aan het gulle onthaal lag; de champagne vloeide rijkelijk, het diner was exquis. En dat levert tot op heden een gestage stroom van klanten op. Klanten die Lex graag ziet: welgestelde zakenlieden die in de Apollobuurt wonen, rijke gepensioneerden, politici en natuurlijk ook die journalisten, die hier nog wel eens discreet een primeurtje weten te pakken. De gasten komen niet alleen uit Amsterdam en omgeving; Le Chevalier is bezig met het opbouwen van een uitstekende reputatie in heel het land.
Het gaat het bedrijf uitstekend. De bezetting van het hotel is gemiddeld per jaar altijd boven de zeventig procent, Le Chevalier zit avond aan avond vol. En Thérèse is in haar element. Ze heeft een cursus als sommelier gevolgd en geeft de gast wijnsuggesties bij bepaalde gerechten en uitleg over de wijnkaart. Omdat goede combinaties van wijnen bij de diverse onderdelen van een maaltijd nauw luisteren, is haar functie bij Le Chevalier niet meer weg te denken. Daarnaast weet ze haar gastvrouwschap op een uiterst charmante manier in te vullen. Gasten worden graag door haar ontvangen, voelen zich thuis als ze hen naar hun tafeltje begeleidt, een kaars aansteekt en een paar persoonlijke woorden voor hen heeft. Haar vertederende Frans accent geeft een extra waarde aan haar gastvrouwschap. In feite is ze restaurantmanager; ze ziet alles, corrigeert met een klein gebaartje kleine foutjes, wijst de

kelners discreet op onvolkomenheden. Ze voelt zich als een vis in het water in Le Chevalier en niet alleen de gasten, maar ook het personeel draagt haar op handen; ze blijft altijd vriendelijk, maar is onverbiddelijk als er iets fout dreigt te gaan. Ze beschouwen haar als de moeder van het restaurant en gedragen zich ook als zodanig tegenover de jonge, aantrekkelijke Française.
Lex pleegt af en toe ongezien vanuit een hoekje van Le Chevalier toe te kijken hoe zijn vrouw functioneert. En hij is verbaasd. Verbaasd dat ze zó natuurlijk een toch niet eenvoudige taak verricht. 'Een lot uit de loterij', mompelt hij.

*

Helemaal nieuw is Le Chevalier natuurlijk niet, alleen de inrichting is aangepast, in overwegend blauw, met crème accenten. Het bedienend personeel is uiteraard in stemmig zwart gehuld. Behalve Thérèse, die net als Lex, chique donkerblauwe kleding draagt. Lex hecht veel waarde aan formele kleding in zijn bedrijf. En natuurlijk is er een nieuwe chef-kok: Robbert Huizinga. Lex kende hem wel, van restaurant De Pruimentuin. Hij is discreet met hem gaan praten. Of hij geen zin had om zich verder te bekwamen in Le Chevalier. Hij zou binnen bepaalde grenzen de vrije hand krijgen om een avontuurlijke spijskaart op te zetten, minder traditioneel dan in De Pruimentuin. Een beetje experimenteren dus, maar niet te gek. En na afloop even in vol ornaat het restaurant in, om de bezoekers persoonlijk te begroeten en te vragen of het gesmaakt heeft. Goed voor de klantenbinding, goed voor de omzet – er wordt dan altijd wel een extra drankje besteld

– en goed voor de chef.
In praten is Lex altijd erg goed geweest. Huizinga had er wel oren naar. De Pruimentuin begon hem langzamerhand te vervelen en het salaris dat Lex hem bood, was ook niet mis. Hij vraagt bedenktijd en stemt tenslotte toe. Experimenteren, daar kreeg hij in De Pruimentuin niet de gelegenheid voor. En dat contact met de klanten trekt hem ook wel aan, want eigenlijk is Robbert Huizinga nogal ijdel. Lex heeft in de roos geschoten.
Maar nu moet hij eerst aan Barend vertellen dat zijn diensten niet langer gewenst zijn in Le Chevalier. Daar heeft hij niet zoveel moeite mee. Barend wel. Of hij soms niet meer voldoet? Hij werkt hier toch al jaren?
'Dat is het 'm juist,'zei Lex. 'Het restaurant is vernieuwd, de kaart moet worden vernieuwd. Er moet een frisse wind door de tent waaien en ik ben bang dat jij niet in staat bent om daarvoor te zorgen.' Keihard is het. Maar zo is het leven nu eenmaal, redeneert Lex. En Barend komt wel weer elders aan de bak. Het is een tijd waarin het uitgaansleven weer begint op te bloeien. De concurrentie ligt op de loer. Het is oog om oog, tand om tand.
Thérèse is daar niet zo blij mee. Ze mocht Barend graag en ze vindt de manier waarop hij is afgeserveerd niet chic. Maar Lex wuift haar bezwaren weg.
'Laat mij het personeelsbeleid nou maar doen', zegt hij een beetje geprikkeld. 'Jij bent daar nu eenmaal niet hard genoeg voor, lieveling. In het zakenleven – en zéker in de horeca – kun je je niet veroorloven om toegevend en meevoelend te zijn. Dan graaf je op den duur je eigen graf. Doe jij maar waar je goed in bent en dat kun je zó goed dat ik je straks met het volste vertrouwen naar De

Molen kan laten gaan. In het begin zal ik er natuurlijk bij blijven, voor het zakelijke gedeelte, maar dat zal niet lang hoeven te duren. Je bent volkomen in staat om zelf een restaurant te runnen, geloof me maar.'

En dan is Thérèse toch weer tevreden en blij met Lex' lovende woorden. Dan beoefent ze haar gastvrouwschap met nog meer plezier. Dat hun werkende leven zich voornamelijk van het eind van de ochtend tot soms diep in de nacht afspeelt, is ze allang gewend. Ze is af en toe hondsmoe, maar als ze dan in bed tegen Lex aankruipt en hij een warme arm om haar heen slaat, voelt ze zich als een prinses en valt ze meestal onmiddellijk in een diepe, droomloze slaap.

*

Lex staat voor de ingang van het Atlanta en kijkt de BMW van een van zijn prominente gasten na. Die begeleidt hij bij voorkeur altijd zelf als ze weggaan. Hij draait zich om en kijkt omhoog, naar het smaakvol verlichte gebouw. Er welt een diepe voldoening in hem op. Hij bestuurt nu een hotel-restaurant met allure. En over een jaar zullen zij bovendien een van 's lands meest gerenommeerde restaurants bezitten. Weer een sport hoger op de carrièreladder. Weer dichter bij wat hij wil bereiken: de grootste horecatycoon van het land worden. Hij kan een tevreden glimlach niet onderdrukken, slaat een denkbeeldig stofje van zijn mouw en gaat opzij voor Thérèse die net de deur opent voor een gedistingeerd ouder echtpaar. Ze knipoogt naar haar man en zegt met haar charmante Franse accent: 'Ik hoop u gauw weer te mo-

gen verwelkomen, mevrouw, meneer.' Het echtpaar glimlacht, de vrouw drukt Thérèse even de hand, de man knikt vriendelijk.
'Weer twee tevreden gasten', zegt Lex als ze door de voordeur van het hotel naar binnen gaan. 'Het gaat goed met ons!' En hij drukt zijn vrouw even tegen zich aan.